P9-CMN-026

folio
junior

Dominique Joly

Sous la Révolution française

Journal de Louise Médréac
(1789-1791)

GALLIMARD JEUNESSE

À Marie-Odile, ma sœur de Bretagne

Paris, 1789

Paris,
ce mercredi 15 avril de l'an 1789

Ma plume court sur le papier et son crissement emplit toute ma chambre. J'aimerais qu'elle aille bien plus vite encore : j'ai tant de choses à raconter avant que la dernière chandelle ne s'éteigne ! Ma logeuse m'en a donné deux petites.

– C'est bien assez pour ce soir, a-t-elle lancé au moment ou je commençais à gravir les étages. Après un voyage pareil, je parie que vous ne veillerez guère !

Depuis ce matin, je me trouve à Paris, dans un tout petit logement sous les toits. Lorsqu'à l'aube, les fers des chevaux ont tinté sur les pavés de la ville, je suis brusquement sortie de ma torpeur.

« Louise, me suis-je dit, l'heure est solennelle ! Tu arrives ! Ouvre grands les yeux, redresse les épaules et sois vaillante ! »

En écho me revenaient les dernières recommandations de la mère Morel, ma patronne couturière, au moment des adieux il y a trois jours. Elle me les débita en cascade et tourna les talons après avoir planté sur ma joue un baiser sec. Oh ! Ce n'était pas elle que je quittai le cœur serré mais tous les autres qui m'avaient accompagnée au relais de poste de Montauban de Bretagne, plantés là devant moi, sans savoir trop quoi dire.

Maman se forçait à être gaie et souriante. Mais sous sa coiffe qui lui cachait une partie du visage, ses lèvres palpitaient étrangement et son sourire se figeait dès que je la regardais.

À ses côtés se tenait M. le curé, les mains sur son ventre rebondi que sa longue soutane noire masquait à peine. J'avais beaucoup de peine à le quitter lui aussi, ce père bon et protecteur, cet ange gardien à qui je devais tout ou presque…

Quand le malheur s'abattit sur notre famille, il y a plus de dix ans, il fut là dès les premiers instants pour nous secourir et adoucir le chagrin de maman. En un après-midi d'été où la chaleur était accablante, elle vit mourir à la fois son mari et son fils, victimes de la foudre qui les terrassa en plein milieu d'un clos. L'abbé Breuil engagea ma mère pour la faire travailler chez lui et décida de m'apprendre à lire et à écrire le jour où il me surprit, assise au coin de la cheminée, en train de déchiffrer une page de son livre d'heures.

– Prends cela ma petite Louise, dit-il en dégageant de la poche profonde de sa soutane un petit paquet plat. Ça te sera utile à Paris… Au cas où le mal du pays te vienne et la solitude te pèse.

Je restai quelques secondes interdite, rouge de confusion.

– Eh bien, Louise, qu'est-ce que tu attends ? me pressa maman.

Le cahier que je finis par déballer était de petite taille et d'épaisseur moyenne. Pendant un long moment, sans rien dire, je le tournai dans tous les sens, fis défiler les pages à l'aide de mon pouce en me demandant bien comment cet objet pourrait être d'un quelconque recours.

Je m'approchai de M. le curé pour l'embrasser. Au même moment, il extirpa de l'autre poche de sa robe noire un paquet mince et long contenant une plume d'oie et un petit pain d'encre noire.

– Voilà la panoplie complète d'une parfaite scribouillarde ! dit-il en plissant les yeux de malice. Si le métier de couturière ne rentre pas, tu pourras faire écrivain public… En ville, c'est un bon travail !

– En voiture ! Tout le monde en voiture ! vociféra le cocher.

Je balbutiai à la hâte des remerciements, croisai le regard de maman noyé de larmes et plongeai le cahier et la plume au fond de mon gros sac de toile. Il contenait un étrange bric-à-brac : ma poupée en chiffon surnommée Chifoumie, mon gros missel recouvert de cuir noir, le chapelet de maman, un pot de confiture d'abricots et tout un tas de victuailles enveloppé dans un torchon. En me contorsionnant, je parvins à saisir, pour une ultime vérification, la petite enveloppe de velours rouge que j'avais cousue et brodée moi-même. Elle contenait le billet tant de fois plié et déplié où il était écrit : « Mlle Bertin, rue de Richelieu, près de la fontaine, paroisse Saint-Roch ».

Je me souviens encore du jour où l'abbé Breuil prononça ce nom devant moi pour la première fois après nous avoir donné des chaises pour nous asseoir dans son presbytère.

En tenant une lettre à la main, il commença :

– Mlle Bertin, de son prénom Rose, est une de mes nombreuses cousines. Comme elle en a l'habitude, elle m'écrit régulièrement et vient de m'adresser cette lettre… À force de courage et de volonté, elle est devenue une marchande des modes fort réputée sur la place de Paris, comptant un grand nombre de clientes prestigieuses…

« Où, Seigneur, veut-il en venir ? » sembla demander maman en me regardant.

– Pour honorer toutes ses commandes, poursuivit lentement le curé sur le ton de ses sermons du dimanche, elle a besoin d'apprenties sérieuses et vaillantes qui ne rechignent pas à la tâche. En se tournant vers moi, il déclara : J'ai pensé aussitôt à Louise… Comme Mme Morel, dans le bourg, lui a appris à bien tenir l'aiguille et qu'elle va sur ses quatorze ans, elle pourrait bien faire l'affaire… ?

Maman était interloquée et resta silencieuse. Elle tordait son tablier entre ses mains et oscillait entre le sourire de reconnaissance et l'air affligé. Moi, sur ma chaise, j'étais statufiée et les mots du curé dansaient dans ma tête et me donnaient le tournis.

Sans qu'elle l'exprime, je devinai aussitôt que maman acceptait la proposition de notre cher curé. Ce soir-là, elle rentra d'un pas décidé à la maison en louant le Ciel, la grande bonté de l'abbé Breuil, et commença sur-le-champ les préparatifs. Elle sortit une pile de linge de la grosse armoire en cerisier, déplia avec soin sur ses genoux chaque pièce de coton et entreprit avec de grandes aiguillées de fil rouge de broder mon nom. Peu après, la mère Morel aussi s'en mêla. Flattée à l'idée qu'une de ses apprenties allait tenter sa chance à Paris tout en étant rongée par la jalousie, elle alternait compliments et remarques acides. Un matin, elle m'obligea à essayer devant elle les deux ou trois robes au rebut, qu'aucune cliente n'avait réclamées depuis des années.

– Quelle aubaine ! On dirait presque qu'elles ont été faites pour vous, ma petite Louise ! lança-t-elle, d'un air faussement gentil, en tentant d'ajuster à ma taille l'habit bien trop grand.

Dans le miroir où j'apparaissais, je me trouvai bien mal fagotée, comme on dit en Bretagne. Une vraie godiche sortie tout droit de sa campagne reculée. « Jamais, au grand jamais, ai-je pensé, je ne pourrai être à Paris dans ce grotesque accoutrement ! »

Angèle, à l'auberge, redoublait d'attentions. Elle était ma nourrice, ma deuxième maman, celle qui, avec tendresse, s'était occupée de moi alors que ma mère, en proie au chagrin et à la misère, louait partout ses bras pour gagner quelques sous. Depuis l'annonce de mon départ, cette brave femme s'était mis en tête de préparer tous les plats du dimanche que j'aimais : poule au beurre blanc, galettes et saucisses grillées, massepains cuits dans la braise…

Avec jubilation, elle me regardait soulever dans l'âtre les couvercles des pots en me laissant deviner ce qui était en train de mijoter.

– À Paris, tu la regretteras, la cuisine de la mère Angèle ! Vas-y ma Louise, régale-toi ! disait-elle en empoignant sa louche pour me servir.

Quelles bonnes odeurs ! J'ai l'impression que je les sens encore flotter !

11 heures du soir

Quand la première chandelle s'est éteinte, tout à l'heure, j'ai voulu me dégourdir les jambes. Avec prudence, j'ai descendu lentement l'escalier bien plus dangereux que celui de chez nous qui mène au grenier : une rampe branlante, des marches de guingois, mal ajustées, qui craquent au moindre pas. En respirant à pleins poumons car le grand air me manque, j'ai marché un peu dans la rue et j'ai cherché l'écriteau indiquant son nom : elle s'appelle « rue du Hazard ». Même si le mot s'écrit ici avec un z, je ne peux m'empêcher de penser que c'est bien lui, le hasard avec un s, qui m'a conduite jusqu'ici. Désormais, je suis entre ses mains… Dois-je m'y fier ? Fera-t-il bien ou mal les choses pour moi ? « Louise, qu'est-ce que tu racontes ?

me suis-je dit subitement, tu divagues, monte te coucher… ! » En effet, ma tête est lasse et bouillonnante. Et même si onze coups viennent de sonner au clocher d'une église toute proche (Saint-Roch peut être ?), je me sens aussi éveillée qu'un coq à l'aube. Écrire me fait du bien, me donne de la force et le bruit régulier de la plume glissant sur le papier m'apaise. Tant que je n'aurai pas tout raconté depuis le moment où j'ai quitté ma Bretagne, il me sera impossible de m'endormir.

À Rennes, mon village était déjà loin. Aux abords de la bâtisse imposante du parlement de Bretagne, je dus changer de diligence. C'était une turgotine (c'est comme cela qu'on la nommait) dont M. le curé m'avait vanté les mérites.

Trois jours de voyage, ce fut bien assez pour moi… Surtout à partir du deuxième lorsque, au Mans, une femme revêche prit place à côté de moi. Quelle épreuve de l'entendre jacasser à tout propos, déblatérer des sottises et vociférer à l'encontre du postillon qui n'arrivait pas toujours à éviter les ornières des chemins détrempés ! Pour calmer son ardeur, je fis semblant de somnoler. À d'autres moments, j'ouvrais mon sac et en ressortais mon chapelet que j'égrenais avec la plus grande lenteur. Que la sainte Vierge me pardonne si j'ai trouvé ce moyen pour stopper le flot de paroles de ma voisine… Mais c'était la façon la plus radicale de lui clouer le bec ! À de nombreuses reprises, ma main, au fond de mon sac, a frôlé le cahier de M. le curé. Je l'ai pris, rangé, repris... Gagnée par un ennui mortel au moment où nous traversions cette contrée plate et monotone de la Beauce, je l'ai ouvert sur mes genoux. Puis, j'ai commencé à tracer des lettres en mouillant avec ma salive le pain d'encre noire. Sur le papier, la plume accrochait, mais peu à peu, les pleins et les déliés que je formais avec la plus grande application prirent une assez belle tournure... J'y prenais du plaisir et me dis que, peut-être, M. le curé avait eu raison une nouvelle fois. C'était sûrement une bonne idée d'écrire, de raconter pour se souvenir, de coucher ses pensées sur le papier, de se confier et de mettre un peu d'ordre dans sa tête...

Au dernier relais de poste, à Longjumeau (à cinq lieues de Paris, sur la route d'Orléans), ma décision était prise : je tiendrai mon journal et à mon retour en Bretagne, j'en ferai la lecture à Marie, ma sœur de lait, ma tendre amie, qui aurait bien cédé sa place contre la mienne...

– Promis ! je te raconterai tout ! lui avais-je dit en séchant ses larmes avec le coin de son tablier au moment des adieux.

Lorsque la turgotine s'engouffra dans une cour sombre et boueuse sentant la paille et le crottin, nous comprîmes tous que nous arrivions. Aussitôt, je saisis au fond de mon sac ma petite pochette de velours contenant la précieuse adresse et me frayai un chemin parmi les voyageurs pressés et les garçons d'écurie peu affables. Une femme bien mise se dirigea vers moi sans hésiter (les jeunes filles débarquant de leur campagne étaient-elles reconnaissables entre toutes ?).

– Vous êtes Louise Médréac, n'est-ce pas ? demanda-t-elle sans attendre ma réponse. Je suis Adélaïde, la femme de confiance de Mlle Bertin qui m'a chargée de vous mener jusqu'à votre logis, près d'ici.

En chemin, elle ne me fit pas de grands discours. Je l'avais sortie trop tôt de son lit et elle me le fit comprendre. Un sac dans chaque main, je la suivis, l'esprit embrumé, à travers les rues encore noires, aux pavés luisants d'humidité… Je frissonnai… Il faisait frisquet… J'avais hâte de me reposer sur un lit. Et peu importait l'endroit où il se trouverait.

Jeudi 16 avril

Il me semble que je flotte quelques pieds au-dessus du sol. Que de nouveautés en une seule journée ! Elle a commencé tambour battant. À l'aube, je guettais déjà le tintement de la cloche : j'avais tellement peur de laisser passer l'heure ! La sévère demoiselle Adélaïde m'avait prévenue :

– À huit heures sonnantes, je vous attendrai au bas de votre maison pour vous mener jusqu'à la boutique, et ne me faites pas attendre !

Raconter tout ce que j'ai vu et tout ce qui s'est passé aujourd'hui est au-dessus de mes forces. Je suis aussi fatiguée que si j'avais parcouru cinq lieues sur un mauvais chemin !

Grâce à ma logeuse, j'ai pu monter du bois. Une bonne flambée dans l'âtre, voilà de quoi se requinquer ! Pendant que j'écris, ma soupe est en train de cuire doucement. Au fond de mon sac, bien serrés dans un torchon, restaient un bout de pain, la moitié d'un oignon et un morceau de lard. Une vraie aubaine !

La journée a filé à la vitesse de l'éclair et je sens encore mon cœur battre au moment où, escortée de Mlle Adélaïde, j'ai mis le pied dans la boutique (elle porte le nom étrange de *Grand Moghol*) sous le regard de dizaines de paires d'yeux. Les cousettes à moitié cachées derrière des monceaux d'étoffes étaient déjà à l'ouvrage, dans le plus grand silence. À mon passage elles relevèrent toutes la tête, en même temps.

Mlle Véchard me pria alors de la suivre. Elle me fit asseoir dans une petite pièce où elle déclara qu'elle était la première fille de boutique et qu'en l'absence de Mlle Bertin, elle la remplaçait. À mesure qu'elle me parlait, mes yeux s'écarquillèrent. Elle évoqua tour à tour l'afflux des commandes arrivant de province, de l'étranger, et surtout de la cour de Versailles, la clientèle des dames élégantes qu'il fallait satisfaire en permanence et la plus illustre d'entre elles, la reine de France, Marie-Antoinette… Elle me demanda de la suivre et me fit entrer dans le salon où la patronne recevait les dames de qualité. Je ne pus m'empêcher de pousser un cri d'émerveillement. Il y avait des dorures partout, du plafond jusqu'au sol, sur les murs, autour des glaces et des médaillons.

– Y sont représentées toutes les personnes de haut rang qui honorent la maison, m'expliqua Mlle Véchard. Voyez, Louise, comme elles sont nombreuses ! Reconnaissez-vous notre reine ici, aux côtés de Mlle Bertin ?

Elle marchait en me parlant et m'entraîna une nouvelle fois dans la petite pièce où elle présenta mes horaires et mes gages.

– À Paris, comme vous pouvez le voir, on est bien mieux payé que dans les provinces ! déclara-t-elle.

Puis elle résuma ainsi les qualités d'une bonne couturière : de bons yeux, des doigts agiles et de bonnes jambes.

Quand, peu après, je me retrouvai assise dans la grande salle de l'atelier, la tête me tournait et mes mains tremblaient. Il n'y avait pas de doute, j'étais là dans un lieu d'exception. Serais-je à la hauteur de la tâche ? En étais-je capable ?

Je fus presque rassurée quand Mlle Véchard posa devant moi un long jupon en coton fin en me demandant de surfiler les ourlets. Je m'en acquittai avec une grande rapidité. Ce qui fit relever la tête de ma voisine d'en face, qui me sourit. Quant à celle qui se trouvait à côté de moi, elle me foudroya du regard. Qu'avais-je fait de mal ?

Dimanche 19 avril

Ma chambre ne me paraît plus aussi sinistre qu'au premier jour. Contrairement à celle d'à côté, elle a une cheminée et elle ne se trouve pas très loin de la fontaine qu'un porteur d'eau vient remplir tous les deux jours. Ce sont deux avantages que la mère Dubois, la logeuse, n'a pas manqué de faire remarquer lorsqu'elle m'y a conduite la première fois.

– Il vous en coûtera cinq livres par mois ! avait-elle ajouté sans appel.

Ce prix m'a tout de suite paru bien élevé. Si je compte bien, au regard de mes gages (quinze sols par jour, soit dix-huit livres par mois), il me restera treize livres : c'est bien peu pour me nourrir, me vêtir, payer mon bois et garder de côté quelques pièces.

J'ai bougé un peu les meubles pour voir si je ne pouvais pas gagner un peu de place : le vilain bois de lit portant ma paillasse, la petite table sur laquelle j'écris, la commode en noyer, les deux chaises en paille et le tonneau pour les ablutions. Du raffut bien inutile pour une si piètre amélioration !

En revenant de la messe, je me suis rappelé que mon chapelet était resté au fond de mon sac. Suspendu maintenant au-dessus de mon lit, j'ai l'impression que la croix veille sur moi, comme le crucifix accroché dans chaque pièce de la maison…

De l'œil-de-bœuf que j'ai un peu entrouvert monte un air tiède : serait-ce le printemps qui arrive enfin ? Malheureusement, cet air est chargé d'odeurs fortes. Les mêmes qui m'ont saisie à la gorge à mon arrivée à Paris : un mélange indéfinissable d'humidité et de pourriture. Je crois que je ne m'y ferai jamais !

Mardi 21 avril

Ce matin, dans l'atelier, autour de la grande table en bois, flottait un air inhabituel, un peu fébrile. Les filles chuchotaient entre elles, Mlle Véchard allait et venait en faisant de grandes enjambées, et à l'extérieur, sur le trottoir de la rue de Richelieu, le portier en livrée semblait être au garde-à-vous. Que se passait-il ?

J'ai vite compris : la patronne était de retour. Dans l'encadrement de la porte, elle apparut la tête haute, la poitrine en avant, gonflée d'importance et de pouvoir. Elle promena son regard vif sur tous les visages, s'arrêta un instant sur le mien, inconnu, tâta les étoffes que sa première de boutique déroulait sous ses yeux, lui dit quelques mots sur le ton de la confidence et tourna les talons.

– Ça ne me dit rien qui vaille ! lança une fille que toutes les autres surnomment Marie tête de pioche. Je sens que l'ouvrage va nous dégringoler sur les têtes !

– C'est ton diseur de bonne aventure qui te l'a dit ? répliqua en riant Ninon, ma voisine de table.

Marie n'eut pas le temps de répondre. Comme si l'heure était de la plus grande importance, la patronne encadrée de ses deux femmes de confiance surgit à nouveau et déclara :

– Vous n'êtes pas sans savoir que les temps sont durs, beaucoup de métiers tombent dans l'assoupissement et l'argent rentre mal. C'est pourquoi nous ne devons pas rechigner à la tâche… La date des États Généraux approche… Il nous reste à peine deux semaines pour honorer toutes nos commandes : la robe de la reine qui doit paraître à la cérémonie d'ouverture et tous les nœuds d'épée des députés de la noblesse, sans parler de quelques habits de présentation…

À mesure qu'elle parlait, les regards étonnés et rieurs des cousettes se tournaient vers Marie : comment avait-elle deviné ?

Mlle Bertin continua sur le ton d'un tribun qui harangue les foules :

– Mettez-vous au travail avec ardeur, notre réputation n'est plus à faire mais elle doit être hissée toujours plus haut !

Dans son salon particulier, où elle me demanda un peu plus tard de venir, elle était une autre personne. Bien moins autoritaire et plus simple. Ce qui ne l'empêcha pas de me faire subir un vrai examen de passage : j'en ai encore la gorge serrée !

– Faites quelques pas jusqu'à la cheminée, lentement… Plus vite… Baissez-vous comme si vous alliez ramasser votre mouchoir, relevez-vous… Redressez votre dos, le menton plus haut… Bien ! dit-elle pour mettre fin à ma torture. Ma petite Louise, puisque vous avez été chaudement recommandée par mon cher cousin qui m'a loué toutes vos qualités, je pense que vous apprendrez vite et que vous vous débrouillerez bien. Notre clientèle a ses usages, ses manies et aussi ses caprices… Vous les observerez et vous vous y plierez vite…

En discourant ainsi, elle me laissait observer de près ce que je n'avais pu qu'apercevoir auparavant : des traits réguliers mais lourds, soulignés par des pommettes rouges qui trahissaient des origines paysannes. Une corpulence de femme d'âge mûr masquée par les formes amples d'une robe à l'élégance discrète. D'une jolie teinte bleu-gris, elle était assortie à la couleur de ses yeux et de ses cheveux poudrés tombant en boucles sur ses épaules. Je craignais cette femme animée par une volonté de fer et, en même temps, son air maternel et protecteur me rassurait.

– Voilà votre trousseau ! déclara-t-elle après avoir disparu quelques instants. Vous serez ainsi à la mode de Paris et une digne représentante de la maison Bertin, fournisseur de la reine de France ! continua-t-elle en haussant du col.

Elle déplia devant moi trois robes coupées dans de belles étoffes lourdes et colorées. Je ne pus réprimer un cri de joie ni m'empêcher d'aller vers elle pour l'embrasser. Elle sourit en me voyant si débordante de gaieté et me pria de rejoindre les autres filles à l'atelier.

Jeudi 23 avril

À l'atelier, c'est la fièvre. Toute la journée, le nez dans les tissus amoncelés sur la table, nous tirons l'aiguille. L'après-midi, au moment où le soleil décline, la fatigue nous tombe dessus. Elle nous fait piquer du nez ou nous entraîne dans des fous rires que Mlle Véchard a du mal à réprimer. Avec sa toise en bois, elle donne des petits coups sur la table, lance des regards furieux et, du bout de ses lèvres pincées, nous dit la même chose chaque fois :

– Mesdemoiselles ! Mesdemoiselles ! L'angélus n'a pas encore sonné ! Vite, à votre ouvrage… Les clientes n'attendent pas.

Les plus nerveuses gloussent encore un peu, les autres pincent leurs joues et nous nous remettons au travail.

Même si l'agitation continuelle me fait tourner un peu la tête, je prends plaisir à être au centre d'un manège qui ne cesse de tourner. Les allées et venues des fournisseurs me font jouer à la devinette. Est-ce un fourreur, un épinglier, un galonnier, un chapelier ou un plumassier ? Le va-et-vient de la clientèle reçue selon sa position ou ses titres par la patronne et ses dames de confiance ; les apparitions de ces dernières venant vérifier l'avancée du travail et surtout mettre fin aux bavardages ; le mystère entourant la robe de la reine cachée à toutes les étapes de sa confection sous un voile de taffetas et déplacée comme si elle était une personne !

J'aime le bruissement des étoffes, qu'elles soient ordinaires ou précieuses : percale, gaze, crêpe, satin broché, popeline, mousseline… C'est leur toucher et leur odeur qui me permettront de les reconnaître d'ici peu, pas leurs noms étranges et difficiles à retenir !

Ninon, ma voisine d'en face, m'a prise sous son aile. Elle a bien vu que j'étais aussi perdue qu'un oisillon sorti du nid… Par de petits signes de tête, elle approuve les quelques gestes que je me risque à faire et m'encourage. Chaque jour, au moment des collations, elle se presse à mes côtés sur le banc. Elle déplie alors avec précaution le torchon posé sur ses genoux et plante ses dents dans la mie rousse d'un morceau de pain. Quand je prononce des mots de mon pays (c'est du patois gallo), elle me regarde ahurie et pouffe de rire. Sa gaieté est entraînante. Cela me fait du bien.

Vendredi 24 avril

La dénommée Adèle la belle me lance des regards noirs. Est-ce à cause de la remarque de la patronne qui, hier, lui a demandé de défaire tout son travail alors qu'elle venait de me féliciter ? Est-ce à cause de mon amitié avec Ninon qui la délaisse un peu depuis quelques jours ?

C'est vrai que nous nous plaisons bien ensemble : nos caractères s'accordent et nous trouvons toujours matière à rire.

– C'est une bonne maladie ! a l'habitude de dire ma mère. Ris de tout ton saoul, ma Louison, y a pas de mal à ça !

J'attends dimanche avec impatience. Plus que deux jours. Ma chère Ninon a eu une idée lumineuse :

– Pourquoi ne viendrais-tu pas avec moi à la taverne des *Trois Écus* ? m'a-t-elle demandé un soir alors que nous sortions de l'atelier. C'est tout près d'ici... Je donne un coup de main à la mère Faucheux, la femme de l'aubergiste, pour servir à dîner chaque dimanche après la grand-messe. Si tu venais aussi, tu ne serais pas de trop !

Silencieuse, je la regardais en plissant le front d'étonnement pendant qu'elle continuait :

– C'est pas bien long et puis ça fait du bien de se dégourdir les jambes alors qu'on est des jours et des jours assises sur notre séant sans pouvoir bouger ! et puis, tu pourras gagner quelques sols de plus et les envoyer à ta mère au pays !

J'y ai pensé pendant la nuit et je me suis dit qu'elle avait raison en pensant à maman qui travaille dur : le ménage et la cuisine chez M. le curé, les travaux dans les fermes ici et là... Je suis robuste et l'ouvrage ne me fait pas peur... Alors, c'est décidé, j'irai me présenter !

Mardi 28 avril

Maudit abbé Breuil ! (Que Dieu se bouche les oreilles...) Je peste contre lui car, depuis mon arrivée, je me sens obligée de faire chaque soir mon travail d'écriture, retenue à cette table comme une chèvre à son piquet. Raconter a du bon, mais quelle servitude !

Aujourd'hui, à l'atelier, toutes les têtes étaient échauffées. Est-ce à cause du travail qui nous force à pousser l'aiguille sans relâche ? Est-ce le printemps qui répand son souffle tiède ? Ou bien alors les nouvelles dont tout le monde parle ici ? Un peu de tout ça à la fois...

Ce matin, Mlle Bertin est partie pour Versailles. Quand elle a pris dans ses bras, avec précaution, la mystérieuse robe cachée par un voile pour l'emporter et la faire essayer à la reine, j'ai eu un instant d'émotion... Penser que ma patronne allait d'ici quelques heures voir la reine, la toucher, lui sourire et lui parler... C'était inconcevable pour moi, l'apprentie couturière débarquée il y a deux semaines de sa Bretagne natale !

Sitôt le dos de la patronne tourné, les langues se sont déliées... La matière ne manque pas : la mine défaite de Mlle Adélaïde depuis quelques jours, les potins entendus chez *Beaulard*, le dangereux concurrent du *Grand Moghol*, le pillage de la maison *Réveillon*...

Déjà, dimanche à l'auberge, on parlait encore de pillage... C'était celui, je crois, d'une boulangerie mise à sac par une foule de gens affamés. En buvant leurs godets, les coudes sur la table, les hommes affichaient un air grave :

– L'année 1789 est la pire de toutes car les greniers sont déjà vides, déclara l'un d'eux… Comment pourra-t-on tenir jusqu'à la prochaine récolte ? À la campagne, on peut toujours se débrouiller, mais dans les villes ? Va-t-on tous mourir de faim ?

– Pas si vite, l'ami ! rétorqua un autre. Sais-tu que dans quelques jours s'ouvriront les États Généraux ? Des députés nous représenteront, nous le peuple !

– Et alors, ça va mettre du pain dans notre écuelle, les États Généraux ? vocիféra un troisième. Dis-moi, qu'est-ce que ça va changer ?

Ces hommes parlaient fort et buvaient beaucoup. Leur haleine forte me gênait quand je m'approchais d'eux pour remplir leurs verres. Ninon me lançait des clins d'œil pour m'encourager… Elle voyait bien que je rougissais souvent et que mes gestes étaient un peu gauches.

– Le métier, il finira bien par rentrer ! avait dit la mère Faucheux pour me signifier que je faisais l'affaire. Voilà tes sous !

Dimanche prochain, il est à parier que la discussion portera sur ce qui s'est passé hier chez *Réveillon*. Mariette, à l'atelier, était livide quand elle a fait son récit. Son petit frère s'est retrouvé hier tout seul au milieu de la foule qui, prise par un mouvement de panique, cherchait à fuir. Des hommes ivres de colère jetaient par les fenêtres de la manufacture des rouleaux de papier peint (c'est ce qu'on y fabrique), des meubles, des glaces, sous le feu des soldats. Comment l'enfant a-t-il été retrouvé ? C'est un miracle ! Pendant toute la nuit, Mariette a passé un linge mouillé sur son visage. Il y a, paraît-il, des dizaines de morts et de blessés, et la fabrique est à moitié brûlée.

Jeudi 30 avril

J'ai piqué du nez sur mon ouvrage tant ma fatigue est grande. La patronne nous soumet depuis quelques jours à rude traitement : veilles du soir jusqu'à dix heures sonnantes, robes, bonnets, jupes, fichus passant entre nos mains à un rythme infernal, pas de repas mais de petites collations qui tordent les boyaux à force d'être ingurgitées trop vite, et obligation de travailler en silence…

Il me reste, néanmoins, un peu de force pour raconter ce qui me rend si joyeuse. Mlle Bertin me tient en estime, j'en suis sûre !

Alors que je portais un rouleau de toile de Jouy dans la réserve, elle me croisa et posa sur moi un regard plein de bienveillance.

– Mes femmes de confiance me disent que vous apprenez vite et bien. Continuez comme cela, ma petite fille. Vous avez des dispositions… Ne ménagez pas votre peine…

Je dois reconnaître que ces louanges ont eu le même effet qu'une bonne cuillerée de miel glissant lentement dans ma gorge. Quelle délectation ! Quel plaisir !

– Péché d'orgueil, ma Louison ! aurait dit ma mère. Modestie ! Modestie, c'est le trésor des petites gens, il t'aidera à garder la tête froide, apprends à le sauvegarder ! aurait-elle ajouté en plissant le front et en dressant l'index.

Il n'empêche que ces mots qu'il me plaît de répéter me font du bien et me donnent de l'ardeur.

Lundi 4 mai

Nous avons attendu jusqu'à la nuit tombante le retour de la patronne et Adélaïde. Toutes deux avaient pris la veille le chemin de Versailles pour faire quelques ajustements lors du dernier essayage de la robe royale. Avant de partir, elles en avaient révélé le secret : un habit violet et une jupe blanche en pailleté d'argent assortis à un bandeau de diamants agrémenté d'une plume de héron. Ensemble, dans un même mouvement, nous avons redressé la tête de fierté car les trois pièces nous étaient passées plusieurs fois entre les mains. Nous y avions toutes laissé notre marque !

À son retour, Mlle Bertin ne fit pas de longs discours. Elle paraissait harassée. Après avoir déclaré que la procession d'ouverture des États Généraux avait été d'une grande magnificence, elle fila directement chez elle. Quant à Adélaïde, elle s'attarda longtemps auprès de nous pour nous raconter tout ce qu'elle avait vu. Ses yeux brillaient d'émerveillement et ses lèvres, auxquelles nous étions suspendues, dansaient, contenant avec peine le flot de paroles qu'elle déversa sur nous pendant un long moment.

Si le spectacle fut si beau, c'est parce qu'il fut admiré d'un lieu loué pour la circonstance : un balcon de la place Royale, précisa au début de son récit Adélaïde, qui ne manqua pas d'y voir une faveur de la reine. De là, selon ses dires, elle put tout observer : M. le duc de Normandie et Madame Royale, deux des enfants royaux installés dans le balcon d'à côté, les dames de cour parées de bonnets emplumés se pressant devant les fenêtres ouvertes, les façades couvertes des tapisseries blanc et or de la couronne, les grappes de gens accrochés aux cheminées ou installés sur les toits, les larges rues sablées et bordées de haies de gardes françaises et de gardes suisses contenant avec peine une foule incroyablement dense. D'après Adélaïde, toute la France semblait être là, le cœur battant au rythme des pas du cortège qui s'avançait solennellement. Quand les douze cents députés représentant les trois ordres du royaume se rapprochèrent au son de la musique du roi, la couturière avoua qu'elle ne put retenir ses larmes. Comme toute la foule, elle applaudit à tout rompre au passage des députés du peuple, le Tiers État, tout en criant : « Vive le Tiers ! » Elle trouva que ces hommes vêtus de noir étaient à la fois fiers et très dignes. Peut-être plus encore que les nobles qui les suivaient, paradant avec leurs dentelles, leurs parements d'or, leurs chapeaux à plumes. Dès qu'ils apparurent, la foule se tut d'un coup. Sous ses yeux, ils défilèrent dans le plus grand silence, comme les hommes d'Église. Adélaïde sut que le roi était en train de passer quand les cris : « Vive le roi ! » fusèrent de partout. Il lui était impossible de le voir tant il était entouré d'officiers, de capitaines, de gardes du corps, de ducs, de princes... Elle reconnut la reine à sa traîne portée par sa dame d'honneur et à sa plume qui volait dans l'air avec légèreté. Marchant à la gauche de son époux, celle-ci avançait avec une grande majesté devant des princesses et des dames du palais. Les acclamations furent rares. Tout au plus, de temps en temps, çà et là dans la foule : « Vive le roi, vive la reine ! » C'était sûr, ce n'était pas elle le clou du spectacle !

Pour finir, Adélaïde a dit combien les gens étaient émus, attendris et tellement remplis d'espoir. Pour elle, c'était certain, de grandes choses allaient se produire. Tous ces hommes réunis à partir de demain aux États Généraux se mettraient à la tâche. Le ton qu'elle y mettait fut tellement convaincant que l'on finit par la croire et, d'un pas léger, nous avons regagné nos logements.

Jeudi 7 mai

Tout Paris a la tête tournée vers Versailles. Au risque d'attraper le torticolis ! À l'atelier, dans les rues, dans les boutiques, on ne parle que d'eux... Des États Généraux, bien sûr, des députés du Tiers État, surtout ! Ils ont fait si grande impression l'autre jour que l'on ne jure plus que par eux. Dans les rues, les gazetiers, les pamphlétaires s'en donnent à cœur joie : ils brandissent sous le nez des passants leurs feuilles à trois sols en prétendant que tous les faits et gestes du « fier état » y sont consignés. Et les plus crédules achètent ! Comment pourrais-je croire de telles calembredaines ? Je n'entends rien à la politique et l'abbé Breuil m'a toujours dit qu'il fallait s'en méfier. Surtout, comment croire qu'une poignée de gens pourrait changer les choses ? Comment remédier à cette misère implacable qui fait mourir chaque jour des hommes et des femmes dans la rue, comme des animaux abandonnés ? Quand Ninon m'a accompagnée jusqu'au coin de ma rue l'autre soir, elle a vu, la première, une ombre en haillons, qui bougeait à terre. C'était un mendiant malade en train de rendre l'âme. Le père Faucheux, qui avait été alerté, a accouru... et s'est contenté de lui fermer les yeux.

– Il y en a des dizaines et des dizaines qui meurent ainsi chaque jour... et cela ne va pas s'arranger ! déclara-t-il, le regard plein de révolte.

Je me suis éloignée la gorge serrée et les mains tremblantes. Que la vie est dure ici pour les pauvres et les petites gens ! Cette ville est comme un monstre, elle réduit tout à néant… Elle emporte tout dans son tourbillon de bruit, de poussière, de vilaines odeurs, d'immondices et surtout de boue… Il y en a partout. Impossible d'y échapper ! Mon cœur est sombre et peint tout dans la couleur la plus noire. J'ai du mal à m'habituer à Paris et plus encore à oublier mon pays. Il me manque tant ! Écrire n'adoucit en rien ma peine contrairement à ce qu'avait dit l'abbé Breuil, mais puisque j'en ai pris l'habitude, je continue… enfin, plus pour très longtemps ce soir, car ma dernière chandelle est en train de s'éteindre.

Lundi 11 mai

Hier, en déambulant dans les rues au bras de Ninon, j'ai dû jouer des coudes parmi la foule de marchands ambulants pour trouver celui que je cherchais : le vendeur de chandelles. Au bout d'une bonne heure, nous l'avons enfin croisé. Ses tempes étaient mouillées de sueur à force de porter sur le dos une hotte si lourde. Des chandelles, il y en avait de toutes les longueurs et de toutes les grosseurs… J'en ai choisi cinq de taille moyenne et Ninon, qui a pas mal de bagout, a entamé la discussion. Ce fut un peu long… À ce moment-là, un garçonnet est passé avec des cadavres de rats enroulés autour du cou pour les proposer à qui voudrait (pour les manger ? les dépecer ?).

J'ai hurlé de terreur et je me suis enfuie... J'ai eu du mal à retrouver Ninon que j'ai fini par reconnaître avec les bougies à la main. Elle les a brandies d'un air triomphant au-dessus des têtes des passants. Ce n'était pas cinq qu'elle serrait dans ses poings mais dix, obtenues pour le même prix. Sacrée Ninon !

Comment avait-elle fait ? Elle esquiva ma question en affichant une mine mystérieuse. Peu importe ! Ce qui comptait, c'était la promesse de longues heures consacrées à coucher sur le papier mes pensées, mes impressions, car je l'avoue, à présent, j'y prends le plus grand plaisir.

Mercredi 13 mai

Aujourd'hui, j'ai accompagné Mlle Véchard qui devait faire essayer une robe à la comtesse de Récamier, rue du Regard. Je me rends compte que je bénéficie de faveurs. Marie tête de pioche l'a bien fait remarquer à tout le monde. Elle a raclé sa gorge au moment où la couturière m'a donné l'ordre du départ. Toutes les têtes se sont levées. Marie a croisé le regard noir et pesant d'Adèle. L'une et l'autre sont habitées par la jalousie et y puisent leur complicité. Il faut que je me méfie : elles peuvent être capables d'une grande malveillance. C'est Ninon qui me l'a dit et je dois la croire : elle sent les choses avec une telle justesse !

Dans le fiacre qui s'est dirigé vers la Seine, j'ai tout oublié de ces rivalités. J'ai écrasé mon nez contre la vitre pour ne pas perdre une miette du spectacle qui se déroulait sous mes yeux. L'excitation me donnait chaud aux joues : c'était la première fois que je traversais Paris depuis mon arrivée, il y a presque un mois !

En ce milieu de matinée, l'agitation des rues ressemblait au bourdonnement d'une ruche. Des charrettes remplies de légumes revenaient de la Halle et ralentissaient le train des voitures qui s'acheminaient vers le Pont-Neuf. Je tournai la tête pour apercevoir la grande enfilade du palais du Louvre. Ses fenêtres reflétaient les miroitements du fleuve en contrebas. Là, sur l'onde tranquille, se pressaient toutes sortes d'embarcations, batelets, barques, bateaux à lessive, gabares. Remplis de passagers, des coches d'eau descendaient un des bras, pendant que des bacs commençaient leur va-et-vient entre les deux rives. Sur le pont surgit, majestueuse, la statue d'Henri IV sur son cheval de bronze dont le socle était masqué par des échoppes dont on était en train d'ouvrir les volets. Sur la rive gauche, les rues plus étroites et plus sombres semblaient se perdre dans un fatras de pierre et de toits. Il fallut un bon moment pour dépasser ce quartier bruyant et encombré. En abordant la rue du Cherche-Midi, l'air devint plus respirable. De grandes portes en bois masquaient des propriétés qu'on devinait cossues. Nous étions arrivés dans le faubourg Saint-Germain, là où la plupart des clientes aristocratiques du *Grand Moghol* résidaient quand elles n'étaient pas à Versailles.

Dans la cour pavée de l'hôtel particulier, rue du Regard, des laquais en livrée verte vinrent au-devant de nous. Ils avaient reconnu Mlle Véchard, une habituée de la maison. Dans le salon, où on nous fit entrer, nous dûmes nous armer de patience car l'attente fut longue, très longue… L'horloge dorée sur la cheminée égrenait allégrement les minutes, les quarts d'heure. Nous avait-on oubliées ? Un laquais impassible nous fit entrer dans un autre salon. La pièce était encore bien plus belle que l'autre et je pus la contempler à loisir : des meubles en bois précieux et aux courbures élégantes reposant sur de moelleux tapis de Perse et, sur les murs couverts de lambris, des miroirs de Venise reflétant lustres, tableaux et girandoles. Que d'or partout !

La comtesse de Récamier consentit enfin à apparaître. Sans un mot d'excuse, elle se précipita sur la robe qui lui était destinée et poussa des cris d'admiration :

– Cette chère Mlle Bertin ! Quel talent ! Quel don !

Nous étions là à son service. Nous devions être à son entière disposition et peut importait qui nous étions…

Un laquais alluma un feu dans la cheminée et une femme de chambre s'avança pour aider à l'essayage. Au même moment, une jeune fille fit irruption, sans même nous regarder.

– Gabrielle, ma fille, approchez-vous et venez voir le dernier chef-d'œuvre de notre « ministre des modes » !

La dénommée Gabrielle fit la moue et s'avança lentement. Elle était bien plus intéressée par la chocolatière fumante et les belles brioches dorées qu'une autre domestique était en train d'apporter !

Au bout d'un moment, la comtesse, qui m'avait ignorée jusque-là, leva les yeux sur moi et demanda à sa fille de m'offrir une friandise. Leur odeur chatouilla mes narines et me fit saliver. Gabrielle me tendit une brioche de façon si dédaigneuse que j'eus honte de moi. Elle avait à la fois un goût délicieux et un goût amer, celui de l'humiliation.

Pourquoi ces gens ont tant d'arrogance au prétexte qu'ils sont « bien nés » ? Pourquoi toujours courber l'échine devant eux ?

Vendredi 15 mai

Jour de gloire ! J'ai reçu une lettre de l'abbé Breuil et les nouvelles qu'il me donne de tout le monde me remplissent d'aise. Quel bonheur ! Quelle joie de se sentir, à travers les mots, proche de ceux que l'on aime !

Ma patronne m'a tendu la missive ce matin à l'atelier. Elle était jointe à la lettre que son cousin lui avait écrite. Je l'ai glissée sur ma poitrine en attendant d'être seule pour la lire. Depuis mon retour du travail, je l'ai relue au moins cinq fois… J'aime son odeur et le contact du papier sur ma joue.

Maman a fait une peur bleue à M. le curé en tombant dans l'escalier du presbytère. Elle en a été quitte avec un gros bleu sur la cuisse et une entorse au genou. Le guérisseur de Quédillac a fait merveille. Il est venu plusieurs fois appliquer des cataplasmes de belladone et le tour a été joué : ma mère gambade à présent comme un lapin !

Aux alentours de Pâques, le pays a été en émoi. Tous les paysans des bourgs les plus proches se sont rassemblés pour faire une grande battue à travers les champs, les clos et la lande… Depuis deux mois, rôdait une bête qui faisait les pires ravages dans les poulaillers et dans les bergeries, où l'on décomptait chaque jour des poules et des brebis mortes. Les hommes sont revenus bredouilles. Ils ont réussi à mettre la main sur quelques renards. On se demande si ce sont eux les fauteurs de trouble, et les rumeurs enflent… À la Bouillère, à une lieue du bourg, quelqu'un a vu paraît-il un animal énorme avec des piquants sur le dos et une très longue queue. M. le curé a dit que ce devait être un dragon mais qu'il n'était pas saint Georges (celui qui, dans la légende, a réussi à le terrasser) ! Je reconnais bien là son humeur à prendre les choses à la plaisanterie, cher abbé Breuil… Je me plais à imaginer ses petits yeux rieurs et son ventre rebondi qui bouge quand il s'esclaffe.

Dimanche 24 mai

Ce soir, mes pieds et mes jambes ne veulent plus m'obéir. Je leur en ai fait trop voir ! Des heures à piétiner dans la taverne et puis une longue promenade dans les jardins du Palais-Royal et ceux des Tuileries. Il y avait longtemps que je n'avais pas autant marché !

L'air est doux, léger et embaumé : le printemps explose partout ! À la taverne, j'avais hâte d'en finir. Dès que la porte s'ouvrait, je me retenais pour ne pas filer dehors, courir, m'ébattre, sauter, au lieu de rester là à déambuler entre les tables avec ma soupière fumante et à entendre toutes leurs sornettes ! Dans un coin, deux hommes parlaient plus fort que les autres. Ils tapaient du poing en jurant par Dieu et tous les saints que « les réformes, on les aura, même s'il faut les obtenir par le feu et le sang ! ». Le père Faucheux était d'accord avec eux, mais il leur a demandé de se calmer : ils faisaient trop de bruit. Dès que Ninon m'a fait signe, j'ai enlevé mon tablier et, bras dessus bras dessous, nous sommes parties flâner, le nez au vent, dans le quartier.

Je commence à le connaître un peu mieux. Le lacis de ruelles, autour de la rue du Hazard où j'habite, n'a plus de secrets pour moi, mais au-delà de la rue Neuve-des-Petits-Champs et de la rue Saint-Honoré, c'est une autre histoire ! Ninon m'a entraînée d'abord vers le Palais-Royal.

– C'est le grand rendez-vous des Parisiens et des Parisiennes, a-t-elle dit en faisant un tour complet autour de moi. Ça va… Tu es présentable, je peux t'y conduire ! conclut-elle en riant.

Jamais je n'aurais pu imaginer que le palais contenait autant de monde ! De longs bâtiments en pierre encadrent un jardin savamment ordonné autour d'un grand bassin et de jolis parterres. Cet après-midi, une foule dense s'y pressait et Ninon me fit remarquer qu'elle était en proie à une grande effervescence. Sous les marronniers en fleur qui essaimaient leurs pétales blancs, il y avait partout des groupes faisant cercle autour d'hommes discourant avec ardeur. Dans les allées baignées de soleil, sur les bancs, sur les chaises, aux tables des cafés installés sous les arcades, sous les tentes bariolées, on parlait, on discutait… Et partout fusaient les mêmes mots : Madame Déficit, pain, Cour, émeutes, ogresse du Trianon, députés…

– On dit que c'est là que bat le cœur du royaume. On y est informé avant tout le monde. Normal ! c'est ici la propriété du puissant duc d'Orléans : il est riche, puissant et rêve de prendre la place de son cousin, le roi. Alors, il titille, il attise, envenime tout ce qui mérite de l'être…

Ninon paraissait bien renseignée. Bouche bée, je buvais les paroles qu'elle débitait tout en marchant d'un pas rapide.

– Je tiens tout cela de la patronne… D'ailleurs, elle ferait bien de se méfier car on se met à la détester autant que la reine… À la taverne, il y a une semaine, quelqu'un a dit : « On meurt de faim partout et pendant ce temps-là, la Bertin, la "Madame du costume", ne sait plus quoi inventer pour pousser l'Autrichienne dans sa folie de toilettes ! » La haine enfle, Louise… Quand j'y pense, ça me fait vraiment peur…

Soudain, Ninon la rieuse était devenue grave. Mais, alors que nous entrions dans le grand jardin des Tuileries, elle fit un tour sur elle-même et retrouva comme par magie sa mine réjouie habituelle. Et il est vrai que les gobelets remplis d'eau de mélisse proposés par une fontainière et la vue qui s'offrait à nous avaient de quoi lui faire oublier complètement ses inquiétudes.

Ah ! Je n'avais rien vu d'aussi beau ! Le Palais-Royal paraissait ridicule à côté de ce jardin ample et majestueux traversé d'allées touffues, ponctué de grosses boules de buis, orné de vases, de statues…

Du haut de la grande terrasse, le spectacle de la ville était splendide : la façade imposante du palais des Tuileries, paraît-il inhabité, les clochers et les dômes des églises à l'assaut du ciel, le ruban gris de la Seine enjambé par de nombreux ponts de pierre. Je m'imprégnais de tout ce que je voyais pour le raconter à l'abbé Breuil dans la lettre que je dois lui écrire… D'ailleurs, je ferais bien de m'y mettre !

Mardi 26 mai

Aujourd'hui, nous avons bien ri à l'atelier. « Mâadâame » de Neuilly et son équipage ont surgi, sans crier gare, au *Grand Moghol*. Adélaïde s'est précipitée vers celle qui ne manque pas de répéter à tout bout de champ qu'elle est la lectrice de la reine. Aussitôt, les femmes de confiance de la patronne ont étalé leurs grandes manières et se sont enfermées avec elle dans le salon pour lui réserver un traitement conforme à son rang. Pendant un moment, ce fut un va-et-vient de tissus. Adélaïde entrait et sortait chargée de rouleaux d'étoffes précieuses, dont j'avais appris à reconnaître les couleurs : chocolat léger, bouquet de bordeaux, puce, soupir de Vénus, boue de Paris ou bleu prunelle de reine. La cliente avait décidé de changer toute sa garde-robe pour l'été et, compte tenu de sa position à la Cour, elle avait besoin de vêtements de circonstance pour chaque occasion. Une toilette pour le matin, une pour aller à l'église, une pour aller dîner, une autre pour les visites, une pour le spectacle, une toilette pour le bal, une pour la chasse, une autre encore pour les mariages… On m'avait expliqué tout cela quand j'étais arrivée. Et chaque tenue porte un nom que je n'ai pas gardé en mémoire. Le monde élégant a ses exigences, sa frivolité, ses excès… Pour le plus grand bonheur des fournisseurs !

On entendait, de temps à autre, la cliente s'esclaffer, parler fort, pousser des cris d'admiration, et le chien qui l'escortait aboyer. Quel tintouin !

Mais ça n'était pas tout ! Bien silencieuses, nous tirions l'aiguille quand la dame est arrivée en trombe, appelant à grands cris :

– Pipounet ! Pipounet !

Escortée d'une jeune fille à l'allure bien mise, la dame cherchait son chien en jappant aussi bruyamment que lui :

– Voyons, petit chien ! Tu nous fais perdre notre temps ! Où es-tu ? Sors de là !

À peine ces mots prononcés, nous avons plongé sous la table où, à quatre pattes, nous avons rampé pour traquer l'animal. Mariette a saisi brusquement ma jambe en pensant que c'était lui. Juste avant qu'elle ne clame sa victoire, je me suis dégagée et elle a poussé un cri strident… Qui s'entendit jusque dans la rue ! Pendant cette longue récréation imprévue et amusante, des monceaux d'étoffes avaient été déployés, chaque recoin inspecté, et pas la moindre trace de Pipounet !

La jeune fille, qui accompagnait Mme de Neuilly et qui se prénomme Hortense, est la maîtresse du chien. Affolée, désemparée, elle allait et venait partout et répétait les mêmes gestes machinalement. Elle revenait toujours vers moi, comme si elle était guidée par un aimant. Quand je mis la main sur le fourreau, la pièce que j'avais laissée de côté, enfouie sous un tas de coupons, mes doigts butèrent sur une masse lourde et chaude :

– Le v'là, vot' chien, astoure ! m'écriai-je.

Hortense me regarda fixement et prit sans attendre son chien qui s'était endormi, le museau coincé dans le fourreau. Tout le monde rit de bon cœur : le tableau était si comique !

– Mais... Tu parles à la façon de mon pays. D'où viens-tu ? me demanda Hortense, avec un sourire rayonnant.

– Je viens d'un bourg situé à mi-chemin entre Rennes et Saint-Brieuc. Il s'appelle Quédillac. Il est bien petit !

– Grand Dieu ! Comment est-ce possible ! Mon père est le marquis de la Chapelle du Lou de Quédillac. Nous sommes de la même contrée !

– Hooortense ! Ma chérie, ne me fais pas attendre, ce soir il y a grand appartement : je dois être présentable ! lança Mme de Neuilly en agitant la tête, où était perché un bonnet en dentelle.

À regret, je regardai partir cette gentille et douce Hortense. J'aurais tellement aimé qu'elle me parle de notre Bretagne ! Mais à quoi bon ? Elle était la fille du seigneur de ma contrée et moi, une petite cousette, fille de paysan. Qu'est-ce qui aurait pu nous rapprocher ?

Lundi 1er juin

Jour chômé pour cause de fête de la Pentecôte : du repos bien mérité !

La journée d'hier a été harassante : messe à la

première heure, des tables à servir et à desservir sans lever la tête jusqu'à l'angélus du soir.

Les Faucheux nous avaient bien prévenues :

– De la besogne, le jour de la Pentecôte, il y en a tant et plus. Oubliez votre promenade : on aura besoin de vous !

Jusqu'aux vêpres, à quatre heures, *Les Trois Écus* furent pleins à craquer.

Du ragoût de mouton et de la crème aux œufs, j'en ai distribué jusqu'à la nausée et le monde qui continuait à pousser la porte pour s'attabler... Ninon eut juste le temps de me glisser dans l'oreille que son frère était installé dans un coin avec des camarades. Ils attendraient qu'on ait fini notre service.

À sept heures, j'entendis la cloche battre avec un certain soulagement. Un peu à contrecœur, je suivis Ninon, son frère et un de ses camarades... Combien aurais-je donné pour me retrouver allongée sur mon lit !

Au soleil couchant, la promenade le long des berges de la Seine fut plutôt agréable. Marcellin, le frère de Ninon, est très timide... Difficile de lui faire décrocher un mot, à la différence de Justin, son ami. Celui-ci parle, parle... Un vrai moulin à paroles ! Tous deux travaillent comme apprentis chez un menuisier dans le quartier Saint-Marcel : on pourrait le deviner rien qu'à regarder leurs mains. Des mains rugueuses, puissantes, taillées à la serpe. C'est ce que j'ai observé lorsque nous avons commencé à faire des ricochets dans l'eau. À partir de là, toute ma fatigue s'est évanouie et j'ai lancé pendant un bon bout de temps les cailloux que j'avais bien choisis comme si j'étais le long de la rivière du village. Avec Marie et d'autres, que d'heures passées à jouer !

Mardi 2 juin

C'est trop de bonheur : je n'ai plus qu'à m'user les genoux en prières pour remercier la Vierge Marie qui me comble de grâces !

Aujourd'hui, alors que c'est le premier jour de ma quinzième année, une nouvelle extraordinaire m'a été annoncée.

Dans deux jours, j'aurai le privilège d'accompagner Mlle Bertin, qui doit se rendre auprès de la reine à Versailles. Oui, oui, j'ai bien dit la reine, Marie-Antoinette en personne, la souveraine du royaume de France, l'épouse de Louis le seizième de la dynastie des Bourbons ! Rien que cela !

– Faire des compliments n'est pas dans mes usages, mais vous apprenez fort vite et vous empoignez l'ouvrage à bras-le-corps. Voilà qui est pour me plaire. Vous m'accompagnerez jeudi à Versailles. Je dois faire essayer à Sa Majesté la reine une robe en chemise qu'elle m'a commandée. Il s'agira du premier essayage…

Je crus défaillir tant ma joie était violente. Je m'agenouillai devant elle en m'exclamant :

– Mademoiselle, quel honneur !

– Relevez-vous ma petite Louise, vous me remercierez plus tard ! répliqua-t-elle vivement. Et filez à votre travail !

J'ai attendu l'heure du casse-croûte pour le dire à Ninon car je ne voulais pas que ça arrive aux oreilles des deux teignes, Marie et Adèle. Elles le sauront bien assez tôt !

Ninon a eu une réaction inattendue. Elle a simplement rétorqué un : « Ah bon ! » quand je me suis approchée d'elle pour lui révéler mon secret. Pas par jalousie, elle en est bien incapable, ni par indifférence. Depuis deux jours, elle est ailleurs, dans ses rêves, très loin d'ici. Qu'est-ce qu'elle peut bien mijoter ?

Jeudi 4 juin

J'ai de l'or plein les yeux et en même temps le cœur gonflé de tristesse... Pourquoi faut-il admettre que tant de conditions différentes se côtoient en ce bas monde ? Aujourd'hui, la pauvreté la plus cruelle et la plus injuste m'a montré son visage et la richesse la plus inimaginable s'est déployée, à mes pieds, avec un faste inouï. Est-ce acceptable ?

Sur le chemin, en allant à Versailles, Mlle Bertin m'a beaucoup parlé. Sa voix enjouée avait l'effet d'une berceuse. Elle me rassurait, moi qui avais du mal à cacher ma nervosité. Les yeux brillants, elle a évoqué ses souvenirs : la première fois où elle mit le pied à Versailles, il y a vingt ans ; la première fois où elle vit la dauphine, c'était le jour de son mariage, le début de son amitié avec elle, des années plus tard. Comme à une confidente, elle parlait à cœur ouvert, avec sincérité et confiance. J'étais touchée, flattée et un peu gênée aussi ! Elle me parla aussi de la fragilité nerveuse de la reine, ces derniers temps, et de l'hallucination qu'elle avait eue dans le boudoir des glaces mouvantes au Petit Trianon. Ces morceaux de miroir, raconta ma patronne, se coulissent de haut en bas pour cacher la fenêtre. Afin de jouer avec la lumière ou obtenir un bel effet décoratif, on peut les positionner à des hauteurs différentes. Est-ce que c'est en passant trop vite devant, un jour, que la reine s'est vue, le corps sans tête sur un des panneaux et sur l'autre, la tête toute seule, comme si elle avait été coupée ? Probablement ! Il n'en fallut pas plus pour qu'elle tombe inanimée aux pieds de Mlle Bertin, celle-ci comprenant bien mal ce qui se passait !

C'est juste à la fin de cette histoire que le carrosse s'est immobilisé. Il avait déjà ralenti quatre ou cinq fois à cause des mendiants qui cherchaient à s'agripper à la voiture pour quémander. Dans les rues de Paris ou sur les chemins, ils sont, paraît-il, de plus en plus nombreux depuis quelque temps : le pain manque ou il est si cher !

On entendit des cris aigus, puis la voix de tonnerre du cocher. Que se passait-il ?

Une femme aux grands yeux verts et au teint très pâle se tenait debout sur le marchepied et collait son visage contre la fenêtre en hurlant :

– Prenez mon petit… Il est baptisé ! Et vous le sauverez… Je suis à bout de forces et il ne lui reste plus qu'à mourir de faim ou de froid…

Nous blêmîmes ensemble en regardant le petit paquet de haillons qu'elle portait dans ses bras. Ma patronne extirpa rapidement de son sac son petit matériel d'écriture, griffonna une adresse sur un morceau de papier, le plia en y glissant une pièce d'or et le mit au creux de la main décharnée de la femme qui bafouilla vaguement quelques mots.

Le reste du parcours se fit en silence. La détresse de cette femme me chavira le cœur et assombrit l'humeur de ma patronne. Je savais par Ninon qu'elle était célibataire et qu'elle n'avait jamais eu aucun enfant. La vue de ce bébé ne ravivait-elle pas une douleur profonde ?

Lorsque je descendis de la voiture, dans la cour de Marbre du château, j'eus un choc. La stupeur d'être face à une telle démesure, l'éblouissement à la vue de ce palais si majestueux, l'ébahissement devant cette agitation qui paraissait ordinaire et… Je n'étais pas au bout de mes découvertes !

Je me suis efforcée de ne pas perdre de vue Mlle Bertin qui avançait d'un pas vif à travers le dédale de galeries, de salons, de petits escaliers, de corridors. Même les yeux bandés, elle aurait trouvé son chemin ! Par endroits, les courtisans aux vêtements brodés formaient des grappes agglutinées devant des portes. Qu'attendaient-ils ? Ailleurs, ils se mêlaient à des colporteurs, des trafiquants, des quémandeurs, des visiteurs : une foule dense qui se répétait dans la forêt de miroirs. Avec ma patronne, j'étais comme un saumon qui remontait le courant, bravant coûte que coûte le flux se déversant en sens inverse !

Une femme à l'élégance discrète et sûre vint au-devant de la modiste et lui dit tout bas, sur le ton de la confidence :

– Sa Majesté n'est pas là et le regrette bien… Elle est partie à la première heure ce matin pour être à Meudon au chevet du dauphin qui se meurt… J'en suis moi-même toute bouleversée…

J'avais tout entendu. Une immense déception me pétrifia là, sur place, dans ce couloir, où il y avait tant de va-et-vient. En attendant ma patronne qui était partie déposer la robe, je regardai, assise sur une banquette, à travers les hautes fenêtres, le parc gigantesque, le canal miroitant au loin et se prolongeant à perte de vue, toute cette magnificence… N'était-elle pas excessive quand, sur les routes, on mourait de faim, n'était-elle pas dérisoire quand on avait le malheur de perdre son enfant ?

Vendredi 5 juin

La mort du dauphin était dans toutes les têtes, même à l'atelier. En longeant le trottoir de la rue de Richelieu, les crieurs l'ont annoncée alors que nous avions le dos courbé sur nos chiffons. À quatre heures de l'après-midi, le bourdon de Notre-Dame s'est mis à battre le glas, la sonnerie sinistre du deuil. Dehors, les passants se sont arrêtés et les hommes ont ôté leur couvre-chef.

Mme de Sentou, une dame de la Cour, est arrivée peu après. Comme elle parlait fort et que la porte du salon avait été laissée entrouverte, on a tout entendu :

– Versailles est d'un lugubre ! Il ressemble à un vrai désert ! Quelle tristesse ! Le roi est très digne… Il a renoncé à une cérémonie de funérailles à la basilique de Saint-Denis qui aurait coûté trop cher… À la place, il a demandé que l'on dise un millier de messes pour le repos de l'âme de son fils. Il a décrété aussi le deuil avec l'interdiction de porter des couleurs pendant plus de deux mois… L'été promet d'être gai !…

À ces mots, nous avons pouffé de rire, sauf Marie qui, l'oreille dressée, ne voulait pas perdre une miette de ces rumeurs.

– Chut ! Chut ! Taisez-vous donc ! nous pressa-t-elle.

– Évidemment, les plus vieux, qui sont aussi, il faut le reconnaître, les plus radins, ont aussitôt ressorti les habits de deuil qu'ils portaient il y a quinze ans à la mort de notre roi Louis le quinzième. Ils avaient une bien piètre allure avec ça sur le dos… Ils sont aussi démodés que des vieux plumeaux ! Il est à parier que vous allez ployer sous un flot de commandes, fit-elle remarquer d'une voix plus basse. Vos filles ne vont pas manquer de travail !

Nous avons toutes relevé la tête en affichant la même moue de désagrément… La besogne allait encore nous tomber dessus !

Dimanche 7 juin

Ça y est ! Je comprends tout ! Ninon est amoureuse de Justin ! Aujourd'hui, il est venu la chercher à la taverne. Quand je leur ai proposé de remonter le quai des Tuileries et de pousser jusqu'aux Champs-Élysées, ils ont acquiescé mollement. Ils se regardaient avec des airs entendus, s'esclaffaient, couraient l'un après l'autre… se taquinaient… J'en ai pris vite mon parti en marchant à une bonne distance devant eux : ils avaient tellement envie d'être seuls tous les deux. Une chose m'échappe et m'attriste un peu. Pourquoi Ninon ne m'en a-t-elle pas parlé ? Elle qui, d'habitude, parle en même temps qu'elle pense !

Mercredi 10 juin

Mme de Sentou, la dame qui est venue l'autre fois, est revenue… Encore plus commère que l'autre jour. Adélaïde m'a demandé de venir pour que je l'aide à faire l'essayage de la robe :

– L'ajustement des vêtements fait aussi partie du métier. La patronne veut vous emmener à Versailles et ne vous a encore rien montré de tout cela… Eh bien c'est moi qui vais m'en charger !

Je saisis aussitôt le petit coussinet où était plantée une forêt d'épingles et exécutai ses ordres sans dire un mot. Elle qui était si effacée quand Mlle Bertin était là, voilà à présent qu'elle bombait le torse d'importance… Qu'elle cherchait à me mettre sous son aile… C'était drôle à voir !

Mme de Sentou, debout devant la glace et nous autour d'elle, a remis en marche son moulin à paroles. Bien entendu, elle nous a donné des nouvelles de Versailles comme s'il était évident que nous n'attendions que ça !

Elle a raconté dans le détail la cérémonie des révérences de deuil, le départ de la famille royale au château de Marly, l'emménagement du nouveau dauphin dans l'appartement de son grand frère disparu…

– Celui-ci n'a que quatre ans, a-t-elle précisé, et il ne mesure pas vraiment la portée de son nouveau titre. En apprenant la mort de son aîné, il a fondu en larmes, mais quelques instants plus tard, il a battu des mains de joie car il hérite de son chien. Mouflet, c'est son nom paraît-il !

Aussitôt, cela m'a fait penser au fameux Pipounet que nous avons cherché ici à l'atelier. Avec des noms pareils et si proches, ils se connaissent sûrement !

Vendredi 19 juin

Les temps sont chahutés, dit-on partout... Mais ce n'est pas la première fois, rétorquent les plus rassurants pour qui tout finira par s'arranger !

J'ai du mal à avoir une idée là-dessus... Les rumeurs enflent chaque jour un peu plus. Comment garder la tête froide ?

Hier, racontait Marie, on a, paraît-il, essayé de faire entrer dans Paris une grande quantité d'armes qui avaient été cachées dans des tonneaux remplis de café. Une sentinelle postée à la barrière d'Enfer a trouvé que le cocher était en proie à une agitation suspecte. Le soldat a plongé son épée dans le tonneau et a découvert la supercherie.

Chaque jour apporte une histoire de ce genre-là. Autant écouter d'une oreille distraite et s'en tenir à ce qu'on a à faire...

Heureusement qu'à l'atelier, depuis quelques jours, règne la plus plaisante animation. Une nouvelle s'est jointe à nous. Elle se prénomme Rosine et son air est grandement malicieux. Pendant une journée ou deux, elle est restée muette, observant de ses grands yeux tout ce qu'elle pouvait capter. Et puis, peu à peu, quelques sons se sont échappés de sa bouche, et maintenant, elle est autant à l'aise que si elle était là depuis des années. C'est un vrai pitre. Elle adore faire rire. Dès qu'Adélaïde ou Élisabeth Véchard ont le dos tourné, elle agit avec un culot incroyable. Elle monte sur la table et imite les mimiques des deux femmes en les accentuant. Quelle rigolade, ce matin ! On a ri de bon cœur et à gorge déployée… j'en avais les larmes aux yeux !… Quand Mlle Bertin a surgi à l'improviste, elle a juste eu le temps de se glisser à sa place, sans être repérée… *in extremis !* Elle n'a vraiment pas froid aux yeux, cette Rosine. Ce n'est pas couturière qu'elle devrait faire, mais comédienne ! Je vais lui dire demain !

Dimanche 21 juin

À Versailles, de grands événements sont en train de se produire. Je répète un peu stupidement ce que j'ai entendu à la taverne aujourd'hui, sans bien tout comprendre.

Le Tiers État s'est engagé dans une partie de bras de fer. Mercredi dernier, il a proclamé qu'il prenait le nom d'Assemblée nationale. Il prétend s'appeler comme cela car il regroupe les représentants du peuple, c'est-à-dire l'écrasante majorité de la population qui vit en ce royaume, autrement dit toute la nation. La noblesse et le clergé n'en font pas partie. En proportion, ils sont bien peu !

Hier, ça a été encore plus loin. Le roi a fait fermer la salle de réunion des représentants du Tiers État. Ils ont alors trouvé refuge dans la salle du Jeu de paume où ils ont juré, solennellement – je recopie mot à mot la phrase que j'ai retenue à force d'être répétée : « de ne jamais se séparer jusqu'à ce qu'une Constitution soit établie ». Un client de la taverne m'a expliqué que la Constitution est comme un règlement écrit. Il organise le fonctionnement du gouvernement du royaume. C'est un peu difficile à comprendre... Quoi qu'il en soit, dans le feu de l'exaltation, un homme du nom de Mirabeau a osé dire à un représentant du roi :

– Allez dire à votre maître que nous sommes ici par la volonté du peuple et que nous n'en sortirons que par la force des baïonnettes.

De plus, depuis hier, le roi ne s'appelle plus « roi de France » mais « roi des Français ».

Le père Faucheux a dit que c'est en changeant les mots qu'on change d'idées et en changeant les idées qu'on change les choses... Il a sûrement raison...

Avec tout ça, à la taverne, les gens étaient bien échauffés. Ils étaient bien plus nombreux que d'habitude à s'accouder au comptoir de plomb, à discuter, à commenter, à pérorer. Régulièrement, ils levaient leurs godets en criant : « À la majesté du peuple ! », puis : « À l'Assemblée nationale », ensuite : « À la Constitution ! » ou encore : « À Mirabeau et ses baïonnettes ! » Tout y est passé, jusque tard dans l'après-midi. La mère Faucheux comptait ses sous avec une mine réjouie. Ses recettes étaient aussi bonnes qu'à la Pentecôte ! Elle m'a glissé une pièce en plus, ainsi qu'à Ninon, et je suis sortie en enjambant les corps assoupis de ceux qui avaient trop bu.

Mercredi 1er juillet

Le pain devient rare, cher et de plus en plus infect. Ce matin, je suis allée avec la mère Dubois au marché des Jacobins, pas très loin d'ici. Il a fallu jouer des coudes et ne pas craindre de se faire écraser les pieds. Les ménagères, leur panier au bras, formaient un mur compact et avançaient, collées les unes aux autres : plutôt mourir que de céder la moindre place !

Quand ce fut notre tour, quelle déception ! Il ne restait que quatre ou cinq miches peu appétissantes : du pain d'alise ou du pain ballé dont personne n'avait voulu…

Une femme, derrière nous, déclara :

– Du pain au son, c'est mieux que rien ! Ne faites pas la fine bouche, dans quelques jours, paraît-il, il n'y aura plus rien… Quant au pain de Gonesse, faut pas rêver, il est vendu sous le manteau ou il a filé dès la première heure ce matin !

Une autre enchaîna :

– C'est simple ! Tout le grain est gardé dans les greniers bien à l'abri, et qu'est-ce qu'on fait pendant ce temps-là ? On attend pardi ! Et plus on attend, mieux c'est, puisque les prix montent, montent, et n'en finissent pas de monter… Une sacrée aubaine !

Une rumeur d'approbation se propagea dans la file d'attente. La mère Dubois ne demanda pas son reste. Elle me donna un petit coup de coude, m'invitant à la suivre prestement avec notre maigre butin…

En chemin, elle me dit :

– J'y vois rien de bon dans tout ça… En cas de pénurie, c'est dans les marchés aux pains de Paris que se forment toujours les premiers rassemblements. Les têtes fortes s'y retrouvent, parlent haut, titillent les autres et c'est l'émeute… Tu verras, Louise… La mère Dubois a pas l'habitude de se tromper !

Elle m'a fait penser à ce moment-là à la mère Angèle qui, dans mon village, a toujours l'art de prédire ce qui peut arriver de mauvais.

Quoi qu'il en soit, à l'heure qu'il est, c'est-à-dire huit heures du soir, je mâchonne un morceau de pain en attendant que ma soupe soit prête. J'y ai mis une rave, des pois, des fèves et quelques carottes. L'odeur est appétissante mais la chaleur dans ma chambre devient insupportable… Les courants d'air ont pour seul effet d'attiser le feu d'où s'échappe un panache de fumée qui emplit mon logement.

Demain, je demanderai à la mère Dubois si, pendant les grosses chaleurs, elle consentirait à me préparer mon souper, moyennant quelques sous… De temps en temps, je pourrai compléter avec ce qui se vend dans la rue : du hareng séché, du poisson grillé mouillé de vinaigre avec un peu de ciboulette, des lentilles ou des pruneaux cuits. Tout ce que j'aime !

Mardi 7 juillet

D'après les clientes qui vont et viennent à la boutique, Versailles est dans la plus intense fermentation.

MM. les députés échauffent les têtes de tout le monde et nul ne peut dire quelle tournure cela va prendre. À l'atelier, chaque cousette y va de son petit refrain et une inquiétude sourde fait plisser les fronts penchés sur l'aiguille, sauf ceux de Ninon et de Rosine. La première bat des mains dès que l'on parle de politique et la seconde ne pense qu'à imaginer des farces : se déguiser avec les robes et les chapeaux à peine terminés, s'enrouler dans des étoffes pour jouer à la duchesse, faire des tours aux fournisseurs.

Quand elle commence à faire le pitre, Ninon et moi montons la garde aux portes pour surveiller... Je n'ose même pas imaginer la tête d'Adélaïde ou celle de Mlle Véchard surprenant Rosine en pleine action ! Elle provoque des fous rires incontrôlables : quelle gaieté ! Ça n'est pas toujours du goût de Marie et d'Adèle. Ces deux-là soupirent d'exaspération devant les simagrées de Rosine ou se forcent à rire en tordant un peu la bouche... En observant leur manège, je me demande si un jour, elles ne seraient pas capables de rapporter.

– Pas impossible, m'a dit Ninon. Du regard noir d'Adèle, j'ai toujours pensé qu'il fallait se méfier.

Vendredi 10 juillet

La tension est montée d'un cran. Elle plane au-dessus de nos têtes comme une chape de plomb.

Versailles et Paris sont pleines de soldats et de canons. Depuis quelques jours, paraît-il, des troupes à pied et à cheval n'ont cessé de converger pour se masser sur les hauteurs autour de la capitale : Meudon, Saint-Cloud, Vaugirard et Montmartre. Le Champ-de-Mars, à côté de l'École militaire, ressemble à un camp retranché d'où pointent des bouches de feu dirigées sur la ville. Tout cet appareil militaire est là, disent les officiers, pour assurer la sécurité des Parisiens et veiller à leur ravitaillement. Évidemment, personne ne croit un mot de cette histoire !

En réalité, le roi refuse tout ce qui a été décidé sans lui et prépare une riposte. Il fait venir d'autres troupes, et en grand nombre, car les gardes françaises ne lui obéissent plus. Ces soldats fraternisent avec le peuple. Ils rengainent leur sabre, tournent bride ou trinquent au milieu des attroupements en criant :

– À la santé du roi et des députés !

Des hommes ou des femmes sont si échauffés qu'ils multiplient les coups d'éclat. Il y a deux jours, ils ont donné une fessée à une femme qui avait osé cracher sur une image représentant notre bon ministre Necker. Peu après, dans un café, un abbé fut obligé de demander pardon en se mettant à genoux après avoir mal parlé du Tiers État. Il fut reconduit sous des huées un bon bout de chemin…

Derrière cette excitation, il y a la peur. Et c'est une bien mauvaise conseillère, dit souvent maman. Elle pousse à faire n'importe quoi, jusqu'aux dernières extrémités. Elle échappe à l'entendement. C'est bien de cela qu'il faut avoir peur !

Dimanche 12 juillet

La journée a été rude. Est-ce la fatigue ou l'angoisse qui oppresse de cette façon-là ma poitrine ? J'ai beau passer de l'eau sur mon visage, sur ma nuque et sur mes bras pour sentir un peu de fraîcheur, j'ai toujours aussi chaud ! Par quel bout commencer ?

Le dîner battait son plein à la taverne quand un groupe d'enfiévrés déboula en annonçant :

– Necker est renvoyé ! Le roi l'a renvoyé hier au soir !

Un court instant de silence figea tout le monde sur place. Puis une rumeur de réprobation monta, suivie d'éclats de voix et de coups de colère. Ici et là, j'entendais, en passant entre les tables avec mes écuelles fumantes, que le peuple perdait un père.

Qui va maintenant nous protéger ? Qui va arrêter la montée du prix du pain ? Pourquoi le roi a-t-il fait ça ? Ces questions fusaient de partout, mais elles restaient sans réponse. La tension était palpable aussi dans la rue où en écho s'élevaient des huées, des acclamations :

– Vive notre bon ministre ! Vive notre père du peuple !

Le père Faucheux, contrairement à l'habitude, ne disait mot et il avait un visage fermé, grave, tout en continuant de remplir les godets…

Entre ses dents, il marmonna juste quelques paroles qu'il semblait adresser à lui-même :

– Demain, c'est le jour anniversaire de la grêle, celle qui a ravagé les récoltes, l'an passé… C'est sûr, il se passera quelque chose : un orage d'une tout autre espèce, bien plus terrible encore !

Là-dessus, Justin et Marcellin arrivèrent. Aussitôt, ils furent jetés dans le feu des conversations auxquelles ils furent obligés de prendre part… À tel point qu'il a même fallu les attendre !

L'effervescence nous poussa vers le Palais-Royal. À cette heure-là – il était quatre heures – le soleil chauffait encore fort et Paris bouillait. Cela ne ressemblait pas aux dimanches comme à l'ordinaire. Une foule nombreuse emplissait les rues, déambulait dans les jardins, avide d'en savoir un peu plus. Au Palais-Royal, un attroupement plus gros que les autres guida nos pas. Sous un marronnier, un homme, les cheveux en désordre et la cravate dénouée, haranguait une foule électrisée.

– Ci-citoyens, j'a-j'arrive de Versailles ! disait-il en bégayant. Ce soir même, les bataillons sortiront du Champ-de-Mars pour nous égorger. Il n'y a pas un moment à perdre ! Nous n'avons qu'une ressource : courir aux armes, prendre des cocardes pour nous reconnaître. Que… Quelle couleur voulez-vous pour vous rallier ? Le vert de l'espérance ou le bleu, couleur de la liberté en Amérique ?

Dans un élan d'enthousiasme, la foule arracha des feuilles aux branches basses des marronniers et les mit sur les chapeaux ou aux boutonnières. Ninon, les joues roses de plaisir, laissa faire Justin qui coinça la cocarde sur sa charlotte blanche. Moi, je l'avais glissée dans mon corsage et elle ne tarda pas à me chatouiller !

Juste après avoir dit : « Que tous les bons citoyens fassent comme moi… Aux… aux armes ! » l'orateur fut saisi et porté en triomphe.

– Il porte le nom de Camille Desmoulins, c'est un ami du député Mirabeau ! lança quelqu'un.

S'ébranla alors une colonne qui grossissait à mesure qu'elle avançait, le tout dans un grand désordre et une intense ferveur. En sortant du Palais-Royal, elle se coupa en deux : une partie vers les boulevards sous la conduite de l'orateur et l'autre vers les Tuileries. Ce fut elle que nous suivîmes. Bien mal nous en prit ! Un grand vacarme s'éleva de la place Louis-XV. C'était un peloton de dragons qui débouchait pour charger la foule. Celle-ci, en furie, redoubla de cris, lança une pluie d'injures et prit des pierres, des chaises et des bouteilles.

J'ignore combien de temps cela dura. Un énorme tronc d'arbre me servit d'abri et, tremblante, je vis au loin un vieillard s'affaisser sous le coup d'un sabre qui le blessa à la tête. Ninon m'avait perdue de vue. Justin lui donnait la main et Marcellin brandissait le poing vers les soldats en train de s'éloigner… Dans la foule, je ne pus les retrouver et regagnai mon logis au plus vite. Sur mon chemin, les gens reprenaient partout le cri lancé par l'orateur :

– Aux armes ! Aux armes !

Ils disaient aussi :

– On a tiré sur les patriotes ! Le prince de Lambesc a sabré les promeneurs aux Tuileries ! Il a égorgé de sa propre main un vieillard !

Au fur et à mesure que ces nouvelles couraient, elles enflaient et se déformaient.

Rue du Hazard, assise sur une chaise au pied de l'immeuble, la mère Dubois commentait. Elle émaillait toutes ses phrases d'un : « J'y vois rien de bon à tout ça » en secouant la tête.

Je commence à la croire.

Minuit

La nuit est étouffante. Aucun souffle d'air pour la rafraîchir et partout, au loin, les cloches qui sonnent le tocsin de leurs battements rapides et saccadés, des cris, des bruits violents…

Comme je n'arrive pas à trouver le sommeil, j'écris et peu à peu mes nerfs se calment. La solitude me pèse. Combien donnerais-je pour être loin de ce volcan prêt à exploser ? Demain, d'après le père Faucheux, sera le jour fatidique. Laissons-le venir.

Lundi 13 juillet

Tout respire la peur : les regards, les gestes, les attitudes.

Ce matin, en allant à l'atelier, j'ai croisé des gens qui, d'habitude, ne battent pas le pavé ici : des grands gaillards des faubourgs, des chômeurs en haillons, des vauriens à la recherche de mauvais coups, des harengères en cheveux…

De gros nuages de fumée obscurcissaient le ciel et une forte odeur de brûlé piquait les narines.

Adélaïde, à la porte de la boutique, était sur les dents. Dès qu'une employée entrait, elle fermait derrière elle à double tour :

– Entrez, entrez vite, mesdemoiselles… nous avons intérêt à rester ici bien cadenassées, aujourd'hui. Partout on cherche à forcer les portes. La journée risque d'être éprouvante… Une seule consigne à respecter : n'ouvrez à personne !

Nous eûmes du mal à nous mettre au travail. Ninon, qui était restée tard dans la nuit à déambuler avec Justin dans le quartier, raconta.

Avec une lueur étrange dans les yeux, elle donna la liste des événements qui s'étaient déroulés jusqu'au petit jour : le pillage des boutiques, la fabrication de piques en fer par les ouvriers, l'incendie des barrières, celle du Trône puis celle de Saint-Denis, le feu à des voitures, à des bateaux…

Tout le monde craint le pire : le massacre des Parisiens, voulu et orchestré par le roi et la Cour. C'est la raison pour laquelle le peuple cherche partout, avec fureur, des armes pour se défendre !

Comment, diantre, le roi s'était-il laissé prendre pour jouer une pareille partie ?

Toute la journée, les vitres de la boutique ont vibré.

Le tocsin s'affolait, des rumeurs montaient, s'amplifiaient puis se taisaient, des bruits sourds et violents éclataient, d'un coup.

Vers six heures, Mlle Adélaïde décida de fermer la boutique, plus tôt qu'à l'ordinaire. Je fus rassurée quand je vis Justin qui attendait Ninon sur le trottoir : il accepterait sûrement de me raccompagner... Haletant, noir de poussière et trempé de sueur, il parla avec animation de l'affaire du jour : il s'était porté tôt ce matin vers la maison Saint-Lazare, un couvent riche où l'on disait que du grain en grande quantité avait été stocké. La rumeur pour une fois avait dit vrai. Pas moins de cinquante-deux charrettes de blé avaient été réquisitionnées et apportées en triomphe jusqu'à l'Hôtel de Ville !

Mardi 14 juillet

En écrivant ces lignes, je crois encore respirer l'odeur forte qui a enveloppé tout le centre de la ville aujourd'hui. Même si une petite brise s'est levée, elle reste là, tenace et lourde, mêlée à la puanteur habituelle. Elle provient de la Bastille qui a été prise cet après-midi. Qui aurait pu imaginer avant-hier et même hier que la fureur populaire s'attaquerait à un tel monument ? Une forteresse démesurée, réputée inexpugnable, hérissée de huit grosses tours, montant la garde en plein Paris. C'est vers elle qu'un fleuve de Parisiens s'est déversé pour venir chercher de la poudre et des cartouches. Sans munitions, à quoi pouvaient servir les fusils et les canons pris le matin aux Invalides ?

À l'atelier, il aurait été difficile de l'ignorer. Depuis le milieu de la matinée, ça n'était, dans la rue de Richelieu, que clameurs, bruits de pas précipités, coups de fusil espacés et hurlements presque continus.

« À la Bastille, à la Bastille ! » entendions-nous à travers les vantaux que Mlle Bertin avait donné l'ordre de mettre pour cacher la devanture. Dans le noir, à la faible lueur des chandelles, nous avons tiré l'aiguille en redoutant le pire.

– On dit que ces derniers jours, à la Bastille, on a hissé en haut des tours des pavés, de vieux boulets, de la ferraille, annonça Mariette qui habite non loin de la forteresse. Surtout, il y a ces gros canons braqués sur les maisons… On les voit luire entre les créneaux. S'ils tirent, cela risque d'être un grand malheur…

– Allez ! Allez, mesdemoiselles, à votre ouvrage ! Pensez que, d'ici la fin du mois, nous devons avoir fini le cortège du mariage Bretteville, répétait la patronne.

Pour une fois, elle s'était mise à nos côtés. Pour nous aiguillonner et aussi nous rassurer.

Moi, je ne l'étais guère. Rosine non plus. Nous nous tenions serrées sur le banc, en sursautant dès qu'une ombre se profilait dans la pièce.

Était-ce Ninon ? Depuis ce matin, elle était

absente. Où était-elle passée ? Que lui était-il arrivé ? Les heures s'écoulaient et… toujours pas de Ninon !

Cette sorte de veillée funèbre au *Grand Moghol* s'éternisait et devint terriblement oppressante quand on entendit au loin des coups de canon et le crépitement de coups de fusil. La patronne entrouvrit la porte et on aperçut dans le ciel des volutes de fumée se confondant avec les nuages. Une odeur de paille ou de foin brûlé nous prit aussitôt à la gorge.

Nous dûmes attendre le début de la soirée pour que Mlle Bertin nous donne la permission de partir. À ce moment-là, l'agitation dans les rues paraissait calmée et l'orage qui avait déchiré le ciel une heure durant s'était tu lui aussi. J'ai relevé mes jupes et sans m'arrêter, j'ai couru jusque chez moi.

Là, pas de mère Dubois, ni âme qui vive. Et à la taverne ?

Chez le père Faucheux, c'était un étrange spectacle. Des hommes en chemises sales et déchirées, couverts de suie et de meurtrissures, étaient affalés sur les tables. Épuisés et choqués, ils éructaient quelques mots, en portant à leurs lèvres tremblantes leurs chopines.

J'ai tout de suite compris que le coup de force avait été d'une violence inouïe, qu'il y avait des morts, des blessés. La foule avait réussi à prendre d'assaut la Bastille, la garnison postée en haut des tours tira sur elle… Et ce fut le massacre… Tout Paris s'est levé, on a dépavé les rues et puis le gouverneur de la forteresse s'est rendu…

Le tavernier passa entre les tables pour donner une tape dans le dos aux héros du jour.

– Et Ninon ? lui demandai-je, folle d'inquiétude, en m'approchant de lui.

Juste à cet instant, Ninon apparut dans l'embrasure de la porte ; j'eus un mouvement de recul. Elle avançait hébétée, toute dépenaillée, et le regard vide, où brillait une étrange lueur.

Elle resta affalée un moment sans dire un mot, puis se tourna vers moi :

– La Bastille n'existe plus ! Tu te rends compte, Louise ? On a libéré les prisonniers et le roi à présent ne peut plus enfermer qui bon lui semble, c'est fini ce temps-là !

Aussitôt, les hommes se levèrent et en levant leurs godets clamèrent :

– À bas la tyrannie ! À tous ceux qui périrent dans les cachots de la Bastille !

Cela dura un bon moment. Marcellin et Justin entrèrent. Ils avaient les yeux creux et leurs visages étaient d'une pâleur effrayante. À la tempe du frère de Ninon était collée une croûte de sang séché. Les yeux dans le vague, il prononça très lentement ces mots :

– J'ai vu la tête du gouverneur toute sanglante promenée au bout d'une pique et, sur une autre, les entrailles de l'intendant de l'Hôtel de Ville. C'est horrible !

Jeudi 17 juillet

La fermentation la plus intense continue d'agiter Paris. Le volcan est en éruption. Il n'est pas près de s'éteindre même si le roi a pris la décision de renvoyer les troupes. Le peuple en fièvre s'échauffe à tout propos et l'on ne compte plus les fois où de petites disputes de quartiers virent à l'émeute… À la boutique, la patronne est de plus en plus crispée. À sa porte se présentent les ouvriers des beaux commerces, qui commencent à fermer. Brodeurs, dentellières ou fourreurs si recherchés il y a peu de temps la supplient de leur donner du travail.

– Que voulez-vous, notre clientèle prend la poudre d'escampette ! lança-t-elle en raccompagnant une ouvrière de petite taille et à la mine dépitée. Il faut maintenant attendre qu'elle revienne !

En disant cela, Mlle Bertin pensait sûrement à ce qu'Adélaïde, de retour de Versailles, lui avait raconté ce matin.

De ce récit, rien ne m'avait échappé, puisque je me trouvais dans une petite pièce à côté, en train de retoucher quelques bonnets.

– Le château ressemble au campement d'une armée en déroute. Tout le monde y est prostré et attend. Quoi ? on ne le sait guère… hormis les sauve-qui-peut qui trient leurs papiers, accumulent leurs bagages et partent… direction la Suisse, Turin, Bruxelles ou Coblence, Mannheim…

– Je parierais qu'il y a parmi eux cette chère

Polignac. Est-ce que je me trompe ? demanda la patronne, sarcastique.

– La clique entière est partie : Diane, Jules, et bien sûr, Gabrielle, « ce cher cœur », comme l'appelle la reine. Elle n'avait pas de temps à perdre et n'en perdait pas ! Et puis, il y a le comte d'Artois qui a serré son frère le roi très fort dans ses bras, le prince de Condé, le baron de Breteuil et beaucoup d'autres ! Une vraie débâcle…

– Et la reine ?

– Elle a pensé aussi à partir… C'était avant-hier soir, au moment où précisément je suis arrivée pour livrer ses vêtements de petit deuil. La méchante Mme Campan faisait le barrage, comme d'habitude. Mais, à la demande de la reine, j'entrai dans le grand cabinet doré où elle se trouvait. Une odeur de brûlé y flottait. Penchée sur un secrétaire, elle lisait des lettres, des billets, et les classait en deux tas avec des gestes fébriles. Je la regardai ainsi un certain temps et remarquai sur son visage aux traits tendus une certaine dureté et une forte détermination.

« Vous tombez bien, ma chère demoiselle Adélaïde ! lança-t-elle. Vous allez prêter main-forte à Mme Campan qui doit réunir mes bijoux dans un coffret à voyage après les avoir dégagés de leur monture. Le temps presse ! »

Je m'installai aux côtés de la première femme de chambre de la reine et, munie de pinces, exécutai ce travail pour le moins inattendu. Jamais dans mes mains n'avaient glissé autant de bijoux: broches, bagues, sautoirs, pendants d'oreilles, diadèmes, bracelets. Jamais mes doigts n'avaient joué avec autant de pierres précieuses: saphirs, diamants, émeraudes, rubis, topazes… ! Une vraie féerie !

Pendant ce temps, la reine, debout, face à un miroir, plaçait devant elle les robes que je venais d'apporter, en parlant toute seule:

« Nous devons quitter Versailles… Il le faut ! Arrivés à Metz, des troupes seront levées et nous reviendrons en force ! Pour la royauté, c'est une question de vie ou de mort… Cette ville de Paris qui prétend dicter sa loi… C'est insensé ! »

À ces mots, elle disparut. Quand ma besogne fut achevée, je pris congé de Mme Campan, en pleins préparatifs de départ. Elle écrivait en énumérant à voix haute tout ce qu'elle devait rassembler: bouillottes, réchauds, chocolatières, aiguilles à tricoter, boîtes de peinture, habits de voyage…

Hier matin, stupéfaction ! La famille royale était encore là. Le roi avait finalement décidé de rester. Je l'appris de Mme de la Tour de Ligne que je suis allée livrer. Elle était bien renseignée et la nouvelle avait eu le temps de se répandre. La reine était paraît-il dans le désespoir le plus complet. D'autant plus qu'elle savait déjà fort bien qu'à Paris, la nouvelle de sa tête mise à prix circulait partout !

Un long silence suivit ce récit. La patronne se racla la gorge et dit:

– Ma chère Adé, il va falloir nous serrer les coudes, nous entrons dans un monde nouveau et nul ne sait ce qu'il nous réserve…

Dimanche 19 juillet

Grande nouvelle : le peuple de Paris s'est réconcilié avec son roi ! Non seulement celui-ci a rappelé le bon ministre Necker, mais en plus, il est venu, il y a deux jours, en personne à l'Hôtel de Ville. Le maire de Paris, M. Bailly, lui a montré la cocarde tricolore en la présentant comme « l'alliance éternelle entre le monarque et le peuple » (je répète ce que m'a dit Justin : il y était). Notre souverain a paru très ému et il a prononcé cette belle phrase :

– Mon peuple peut toujours compter sur mon amour.

Ensuite, d'un geste prompt et amical, il a attaché la cocarde au revers de son chapeau à plumes. Et ce fut un tonnerre d'applaudissements, de vivats, de cris de joie ! Cet insigne porte trois couleurs. Le blanc est la couleur royale. Le bleu et le rouge sont celles de Paris. Elles vont très bien ensemble.

Il a fallu le terrible avertissement de mardi 14 juillet pour lui faire ouvrir les yeux. À présent que les mauvais conseillers de son entourage sont partis, il va gouverner en bon accord avec le peuple. C'est notre espoir à tous : il est un homme si aimé et si respecté !

Cet après-midi, nous sommes allées avec Ninon et Rosine du côté de la Bastille. Nous n'étions pas les seules à flâner par là ! Une foule dense de promeneurs et de curieux contemplait un spectacle inimaginable il y a une semaine : la démolition de la forteresse. Les centaines de maçons embauchés dès mercredi ont déjà mis à bas les grosses tours. Qu'elle tombe, cette sinistre prison, pour ne jamais se relever !

Samedi 1er août

Enfin une lettre de l'abbé Breuil ! Cette fois-ci, elle est arrivée directement chez la mère Dubois. Comme cette brave femme savait que j'attendais des nouvelles, elle est venue au-devant de moi, ce soir, rue de Richelieu.

Je n'ai pas résisté : en pleine rue, j'ai déplié la lettre, et là… immense déception ! Mes jambes ont faibli d'un seul coup et les larmes me sont montées aux yeux. L'abbé Breuil ne viendra pas à Paris, comme il en avait l'intention. Il dit que les routes ne sont pas sûres. Il ne se passe pas un jour sans que des voyageurs soient détroussés entre Montauban et Rennes. Quant au trajet Rennes-Paris, il ne faut même pas en parler… Mais il y a plus grave, continue-t-il :

Depuis que la nouvelle de la prise de la Bastille a été connue, tous les bourgs et les hameaux sont dans la plus grande fermentation. Le champarteur du marquis de Quédillac a été molesté en s'approchant d'une charrette pleine de foin pour le comptabiliser. Et la peur s'est propagée comme une traînée de poudre jusque dans le moindre hameau. La raison ? Une rumeur tenace impossible à mettre en pièces : une armée de brigands allait arriver d'un instant à l'autre pour tout piller et tout réduire en cendres sur son passage. Là, on pense qu'il s'agirait d'armées étrangères : elles avaient été repérées à Saint-Gilles. Ailleurs, on avait vu des nobles prenant la tête de cortèges de soldats... Résultat : les villages et les fermes se sont armés jusqu'aux dents. Faucilles, piques, fourches, pelles ont été empoignées par les paysans montant la garde à tour de rôle sur les routes et les chemins. La frayeur passée, ils se sont rendus au château de la Chapelle du Lou où le régisseur du marquis les a fort mal accueillis. Les plus enfiévrés se sont emportés et ont forcé les portes du logis du seigneur. Comme cela s'est produit au château de Caradeuc, ils se sont précipités dans la bibliothèque : le lieu de rangement des gros registres de la seigneurie. C'est là que sont consignées les redevances, autrement dit les impôts que les paysans doivent à M. le marquis. Celui-ci était parti à la chasse du côté de la forêt de Brocéliande... Quand il est revenu, un tas de cendres fumantes achevait de se consumer : c'était tout ce qu'il restait des registres !

Heureusement, le grand saint Ives nous a protégés : il n'y a eu aucun mort et aucun blessé, contrairement à d'autres endroits. Je prie Dieu pour qu'il mette un peu de calme dans les têtes. À la messe, je ne me prive pas de les sermonner ! Crois-moi !

Ta maman s'inquiète pour toi et se demande chaque jour si tu manges à ta faim, si la vie n'est pas trop dure, si ma cousine est contente de toi… Elle aussi, pauvre mère, est bien marrie à l'idée que je ne peux pour l'instant venir te voir… Je la rassure comme je peux !

Entre nous, ma petite Louise, avouons qu'il y a du bon dans tout cela : trop de malheur, trop d'écarts… Trop d'injustices, trop d'impôts qui pèsent toujours sur les mêmes personnes… Il faut que ça change !

Donne-nous de tes nouvelles.

Félicitations à l'élève qui par ses lettres fort bien tournées emplit de satisfaction son maître.

Que Dieu te garde !

Et ton cahier, t'en sers-tu ?

Cette dernière question m'a fait sourire. Diantre ! Il n'avait pas oublié ce détail… Sacré M. le curé !

Mercredi 5 août

Il est minuit. Le ciel est immobile et étoilé : pas un souffle d'air, pas le moindre bruit. Pour une fois depuis longtemps, ma poitrine s'est desserrée et une grande sérénité m'a envahie. Que cela fait du bien !

À l'abbé Breuil, j'ai fini d'écrire une longue lettre. Je parle de tous les événements dont j'ai été ici témoin. En précisant toutefois que s'il voulait plus de détails, il n'aurait qu'à attendre… de lire mon cahier… C'est ma petite vengeance… et je la savoure avec délectation. Il m'a un peu forcé la main en me donnant cet objet. J'ai écrit au début sous la contrainte, l'obligation de lui obéir. En fin de compte, il a eu bigrement raison… Mais, à ce cher curé, je ne l'avouerai jamais. Parole de Bretonne !

Depuis hier, un air léger souffle sur Paris. L'Assemblée nationale est en train de faire de grandes choses. Elle s'est réunie avant-hier soir et, toute la nuit, elle a délibéré et décidé dans le plus vibrant enthousiasme…

– Les droits féodaux supprimés, bonnes gens !…

– Nuit du 4 août mémorable à Versailles ! Qui veut ma feuille ?

Ce soir, les crieurs arpentaient les rues, leurs gazettes à la main pour annoncer cette nouvelle. La foule, par endroits, s'agglutinait devant les feuilles placardées sur les murs par les colleurs.

– Est-ce que cela signifie qu'il n'y aura plus rien à payer aux seigneurs ? allai-je demander au père Faucheux qui est toujours au courant de tout.

– Mais non ! Bien sûr ! Il restera toujours au paysan le loyer qu'il doit à son seigneur, propriétaire des terres… Quant au reste, tout ce qui pesait si lourd sur ses épaules, on peut dire que c'est bel et bien fini… On peut en être fiers, de nos députés !

Une grande gaieté emplissait ce soir *Les Trois Écus*. Pour l'occasion, le tavernier a débouché du vin de son pays, du vin de Bourgogne. Il a coulé à flots… et la grosse mère Faucheux a relevé le bas de ses jupes pour esquisser quelques pas de danse. C'était tordant !

Jeudi 13 août

On chante, on danse le soir à la lumière des lampions et des lumignons : un air léger de fête souffle sur Paris. Le peuple célèbre le monde nouveau qui est en train de voir le jour. Il encourage ainsi ceux qui se sont attelés à ce dur labeur : les députés de l'Assemblée « constituante », c'est ainsi qu'elle est nommée à présent, ont lancé de grands chantiers…

À l'atelier, nous nous sommes mises au diapason et avons adopté la mode tricolore. Quand elle entend cela, la patronne hausse les épaules :

– Je n'appelle pas cela de la mode, c'est de la politique !

En juillet, elle a fait la fine bouche quand des clientes habituelles ont commencé à réclamer des tenues bleu-blanc-rouge. Cette nouvelle tendance lui déplaisait franchement. Mais depuis que les nobles ont décidé de partir en grand nombre, il n'y a plus le choix !

Alors, dans la plus grande gaieté, nous avons commencé à coudre des cocardes : des grosses comme des choux, des discrètes, des petites, des plissées, des bouillonnées à accrocher sur les bonnets, dans les cheveux, au creux de la poitrine, où on veut ! Nous avons également confectionné des bonnets « à la

Bastille », « à l'antique » ou « à la citoyenne » qui, en gaze blanche, se ressemblent étrangement.

– Si c'est la rue qui dicte tout, à ce jeu-là, je suis d'avance vaincue ! a sifflé hier Mlle Bertin, de fort méchante humeur. Il est beau leur monde nouveau ! Ce n'est pas ces fanfreluches tricolores qui risquent de la réveiller, la mode !

À ces mots, elle a tourné les talons et s'est éloignée dans l'arrière-cour pour examiner ses comptes. On sait par Adélaïde qu'elle croule sous les paiements en souffrance… Ses clients se sont dispersés dans la nature en prenant bien soin de laisser dettes et factures… Elle enrage.

Jamais l'infâme despotisme
N'osera souiller nos regards.
Comme aujourd'hui si le civisme
Brille toujours dans nos remparts…

Voici le début d'un couplet d'une chanson que nous fredonnons depuis quelques jours, en tirant l'aiguille. Là aussi, on est au goût du jour ! Paris n'est plus qu'une grande chanson ! Dans les rues, aux fenêtres, sur les ponts, on chante partout ! On s'égosille ! Et Rosine, là-dessus, est imbattable. Il suffit qu'elle en entende une pour la première fois et le tour est joué : elle la garde pour toujours dans sa tête !

En levant la tête vers mes voisines, je me retiens de rire… Toutes en cadence, la tête ou le bonnet flanqué d'une cocarde… Le spectacle est unique et comique !

Jeudi 27 août

La jalousie monte à mon endroit… À l'atelier, on me foudroie du regard et on imagine de petites mesquineries. Marie a fait exprès de renverser deux fois la boîte d'épingles à mes pieds. Et peu après, lorsque Mlle Véchard a demandé qu'on passe un coup de balai, Adèle s'est levée, a fait une révérence devant moi en disant :

– Louise a annoncé ce matin qu'elle s'en chargerait seule aussi longtemps qu'il le faudra !

Ninon et Rosine ont pris ma défense. La première s'est heurtée vivement à Marie tandis que l'autre a empoigné le balai, a enjambé le manche comme une sorcière et s'est mise à courir en poursuivant Adèle. Comme toutes les autres, j'ai ri un bon moment mais j'ai croisé les yeux noirs de Mlle Véchard excédée d'avoir à faire la discipline alors que le travail presse. Elle ne s'en prendra jamais à Marie qui sait minauder en tournant autour de ses jupons, car elle est sa préférée. Elle est sa meilleure brodeuse.

Dimanche 30 août

Ninon m'a dicté les premiers mots de la Déclaration des droits de l'homme et du citoyen. Et je les recopie maintenant dans mon cahier : *Les hommes naissent et demeurent libres et égaux en droits, les distinctions sociales ne peuvent être fondées que sur l'utilité commune...*

Le père Faucheux a expliqué à la taverne que tout le monde a maintenant les mêmes droits. Chacun est à égalité.

– Et, a-t-il ajouté, ce n'est pas parce qu'on naît noble qu'on est supérieur aux autres. Plus de privilèges, plus de droits réservés ! Il est fini ce temps-là !

– Mais, alors, je vais pouvoir épouser Adélaïde, la fille de mes maîtres, le comte et la comtesse de Charnisey ! dit Baptiste, en se levant d'un coup, les yeux écarquillés.

– À condition qu'elle soit d'accord ! répliqua le père Faucheux en riant de bon cœur.

Et les gaillards les plus costauds ont soulevé de terre Baptiste, hilare, et l'ont promené sur leurs épaules dans la taverne et dans la rue...

Les députés réalisent de grandes et belles choses.

La Déclaration est un texte si important que le 26 août 1789 sera une grande date dans l'histoire de France.

Elle contient deux mots qu'on trace partout sur les murs dans les rues : *liberté* et *égalité*. Ils vont bien ensemble et je ne me lasserai jamais de les prononcer.

Au loin, dans la rue, j'entends qu'on chante à tue-tête la chanson qui parle de la déclaration. À la place, j'aurais préféré une jolie berceuse car il est bien tard :

Vivre libre est le premier bien
Aux champs comme à la ville ;
Partout on doit du citoyen
Respecter l'humble asile ;
Dès qu'à mon prochain respecté
On ne me voit pas nuire,
Rien, ô ma chère liberté !
Ne peut te circonscrire…

Mercredi 9 septembre

Il ne reste plus qu'une seule page à mon cahier… Et la mère Dubois qui connaît rue du Jour un petit papetier est revenue bredouille après avoir fait la commission pour moi.

– Fermé, vous dis-je, c'est la troisième fois que j'y vais !

Quelle déception ! Comment vais-je continuer à écrire ?

Pour l'instant, fini les longs récits et les petits bavardages : des économies de papier avant tout !

Pour faire vite, par où vais-je commencer ?

Par la nouvelle qui m'attriste le plus : le renvoi de Ninon du *Grand Moghol*. Mlle Véchard a passé ses nerfs sur elle.

– Vous êtes en retard un jour sur deux, vous n'avez plus la tête à votre travail et celui-ci est bâclé ! a-t-elle lâché d'un seul tenant. Considérez que vous ne faites plus partie de la maison à compter de ce soir !

Un coup de massue n'aurait pas été plus violent. Interloquées, Rosine et moi nous sommes tournées vers Ninon, au visage impassible et au regard fier. Que pouvais-je faire ?

En parler à la patronne ? Impossible : elle est partie depuis une semaine en Allemagne. Implorer la Véchard ? J'ai tenté mais en vain.

On a toutes redoublé d'ardeur, craignant que la foudre s'abatte aussi sur nos propres têtes. Ninon a croisé les bras, ostensiblement, sous le nez de la Véchard. Elle est restée dans cette position toute la journée. Une page se tourne. L'atelier ne sera jamais plus comme avant.

Mardi 15 septembre

Heureusement les choses s'arrangent pour Ninon. Les Faucheux l'ont embauchée comme serveuse pour travailler toute la journée, du lundi au dimanche. Elle est contente car l'ambiance de la taverne lui plaît. Elle qui aime bouger, voir des gens, leur parler, connaître les nouvelles les plus fraîches : l'emploi est à sa mesure !

Marcellin, son frère, approuve ce changement et se frotte les mains à l'idée de venir souper le plus souvent possible.

– Avec Justin ? a demandé aussitôt Ninon.

Voir Justin plus souvent ne m'embarrasse pas, mais Marcellin… Sa présence me gêne depuis quelque temps, surtout depuis le soir où on a fait une farandole dans la rue. Il m'a prise par la taille d'une drôle de façon et j'ai senti son haleine chaude dans mon cou. J'ai cherché alors à me dégager de lui mais sa force m'en a empêchée ! Moi, je l'ai toujours considéré un peu comme un grand frère qui veille sur moi et me protège. Impossible de le voir autrement ! Oserai-je lui dire un jour ? Il le faudra bien !

Mardi 29 septembre

Enfin, j'ai de quoi écrire ! L'écrivain public de la rue Traversière a accepté de me vendre deux feuilles de papier. Il a un peu tordu le nez car ses réserves sont en train de fondre. Il a tellement de travail ! Depuis la fin de juillet, des gens font la queue toute la journée devant son échoppe. Ils lui demandent tous la même chose : écrire au curé ou à un notable de leur village pour s'enquérir des nouvelles de leurs familles. Dans les campagnes aussi, c'est le grand chambardement ! Quelle chance de savoir écrire ! De le faire quand bon vous semble, de ne dépendre de personne pour avoir à coucher sur le papier le moindre mot, la moindre phrase... Je ne remercierai jamais assez l'abbé Breuil !

Depuis quelques semaines, la tension est redevenue forte ici... Un peu comme au début du mois de juillet. Le pain manque ! Alors qu'on croyait que la Révolution en marche allait faire disparaître cela, il n'en est rien ! Les boulangers seront toujours des affameurs. C'est le gousset plein qui les intéresse et pas autre chose !

Du coup, la politique est revenue au centre de toutes les discussions. Et encore bien plus qu'avant puisqu'à présent toutes les opinions ont le droit d'être exprimées ! Dans les rues, devant les boutiques, dans les tavernes, dans les sociétés populaires comme le club des Jacobins, on parle, on palabre partout, sans compter l'Assemblée et le Palais-Royal. On brandit aussi les feuilles des journaux qui paraissent régulièrement. Sur le pavé, ça n'est que cris : « *Le courrier de Paris*, tout frais, tout frais ! », « Qui veut le *Patriote français* ? » ou encore : « À moi, à moi les *Révolutions de Paris* ! »

Tous parlent du travail des députés, de l'incapacité du ministre Necker à faire entrer de l'argent dans les caisses. Certains lancent des charges contre le roi, réticent à accepter tout ce que l'Assemblée a décidé, d'autres s'en prennent à la reine, sa mauvaise conseillère qui ne pense qu'à abattre la sédition !

Les nouvelles se succèdent à une telle vitesse que les dernières chassent les avant-dernières. Comment s'y reconnaître dans un tel fatras ? Comment savoir qu'elles disent vrai ?

– Même si ça fait monter la fièvre, il s'agit d'un grand progrès, a dit Justin, en train de déchiffrer à l'aide de son doigt un nouveau journal : *L'Ami du peuple* de Marat. Tous les goûts sont dans la nature… il faut accepter qu'ils s'expriment et apprendre à les tolérer.

J'essaye de méditer cette dernière phrase que le père Faucheux aurait pu prononcer.

Dimanche 4 octobre

Pas de grand discours ce soir ! J'en ai entendu bien trop aux *Trois Écus* aujourd'hui ! Ma tête est vide, mes pieds sont endoloris... Il faut que je me couche au plus vite : demain je vais à Versailles !

Est-ce le meilleur jour pour y aller ? J'en doute... mais Mlle Bertin y tient. Elle m'a demandé de l'accompagner...

La rancœur contre le roi et la haine contre la reine sont au point le plus extrême. Un régiment vient d'accourir à Versailles pour protéger le palais. La colère monte. Elle est sur le point d'exploser. Quand et où ? Nul n'est capable de le dire.

Depuis hier, on ne parle que de ça : du scandaleux banquet offert à Versailles par les gardes du corps du roi aux officiers du régiment nouvellement arrivé.

Ce matin, le père Faucheux affichait sa mine indignée des grands jours. À tous ceux qui se pressaient à la taverne, il a lu à voix haute *L'Ami du peuple*. Il y est dit qu'à Versailles, où la grande salle de l'Opéra avait été aménagée pour l'occasion, se sont succédé des plats somptueux arrosés copieusement par les meilleurs vins. Le roi, la reine et le dauphin dans ses bras apparurent. Dans l'exaltation de la fête et du vin, ils assistèrent à ce spectacle infâme : la cocarde tricolore piétinée par des officiers qui auraient épinglé au même moment la cocarde blanche, portant la seule couleur du roi. Les vivats et les ovations résonnèrent longtemps, sous le sourire provocant de la reine... Et ce n'est pas tout !...

On y apprend aussi que, dans le château, on garde d'énormes réserves de farine pour affamer le peuple et le faire renoncer à tout ce qu'il a obtenu.

– Eh pardi ! a rétorqué la grosse mère Faucheux. S'il le faut, j'irai à Versailles pour aller la chercher, cette farine ! Et ça ne me fait pas peur !

À ces mots, tous les clients se sont levés. Dans un seul élan, ils ont crié :

– À Versailles ! Chez le roi !

Ninon est montée sur un tabouret en brandissant le poing :

– Allons dans les tavernes du quartier, au Palais-Royal et faisons courir le mot d'ordre : Tous à Versailles !

Seule, j'ai servi des repas à tour de bras. Attirés par l'agitation, les clients entraient, venaient, s'attablaient : quelle affluence !

Quand j'ai terminé mon travail, Ninon, partie avec quelques femmes, n'était toujours pas rentrée… J'ai eu l'idée de faire un détour par la rue de Richelieu pour prévenir Mlle Bertin au cas où la rumeur d'une émeute persisterait.

– Merci, Louise, le plus sage sera de partir plus tôt. Soyez là, vous aussi, à six heures sonnantes… Vous viendrez avec moi à Versailles et je préviendrai Élisabeth Véchard…

Je n'ai rien dit mais je pensais déjà aux yeux brûlants d'envie de Marie et d'Adèle.

Lundi 5 octobre, 7 heures du soir

Mes mains sont moites, j'ai le souffle court, l'angoisse m'étreint… Que va-t-il se passer ? Combien de temps vais-je rester dans cette pièce inconnue ? Un cahier tout neuf acheté ce matin, une plume bien taillée, de l'encre en quantité… Que demander de plus ? « Quand tout va mal, il faut savoir se fixer sur les petites choses », m'a toujours dit maman… C'est ce que j'essaie de faire depuis ces quelques heures étranges où je suis prisonnière au château de Versailles !

J'écris ces mots mais je peine à y croire… C'est en me voyant dans le miroir qui reflète aussi une pendule dorée, un vase de Chine et un portrait de Marie-Antoinette dauphine qu'il faut me résoudre à penser que tout cela est vrai !

Cet après-midi, une foule énorme venue de Paris a assiégé le palais, et nous empêche d'en sortir. Les grilles ont été verrouillées et malgré la pluie torrentielle, les femmes et les hommes en colère semblent décidés à rester. Une délégation a pourtant été reçue à l'Assemblée et une autre par le roi, de retour de la chasse. En le voyant, une femme porte-parole, qui avait le verbe haut, a été si émue de le trouver si calme et si aimable qu'elle s'en est trouvée mal !

Dehors, alors que la nuit tombe, les émeutiers écument de rage.

– Plus de promesses ! Des actes ! hurlent-ils. Ils ont menacé un garde du corps, abattu et dépecé son cheval qu'ils sont en train de manger tout cru…

Quelle horreur ! Ici, les gardes assistent impuissants à ce spectacle. Une grande perplexité règne. Le roi, à qui on suggère de partir pour Rambouillet, hésite, ses ministres piétinent à ses côtés et la reine, les lèvres pincées d'indignation, bouillonne de l'intérieur. Et rien ne se décide !

Une des femmes de chambre m'a conduite dans ce petit salon où je me tiens en attendant ma patronne… Je ne pressens rien de bon. En dépit des recommandations de la reine, elle a quitté le palais il y a trois bonnes heures en me promettant de revenir au plus vite. Depuis, rien, plus de modiste, plus de Bertin !

Mardi 6 octobre, 2 heures du matin

J'ai beau me tourner, me retourner sur ce lit de repos pourtant bien moelleux : impossible de trouver le sommeil ! Alors, je me suis levée et, enveloppée dans un édredon, j'écris… C'est vraiment une chance d'avoir ce cahier !… Je peux y apaiser mes nerfs, mettre de l'ordre dans tout ce qui se bouscule dans ma pauvre tête et aussi garder une trace de tous ces événements dont je suis le témoin bien malgré moi.

La grosse Mme Campan, que ma patronne déteste, est venue tout à l'heure m'apporter cette couverture lourde et chaude. Sarcastique, elle m'a dit :

– Votre patronne ne viendra plus à l'heure qu'il est… J'ai bien l'impression qu'elle vous a abandonnée ! Considérez à présent que vous partagez le même sort que la famille royale et tous ceux qui la servent. Prenez des forces, en attendant demain. La journée risque d'être fort rude…

Elle a tourné les talons et disparu avant même que j'ouvre la bouche. Elle ne portait pas la patronne dans son cœur, je l'avais fort bien compris… Quant à mon angoisse, elle l'a démultipliée… ! Alors, j'ai voulu réagir et je me suis glissée hors du lit pour tenter d'en savoir davantage. À travers la fenêtre donnant sur une cour minuscule, tout était noir, pas la moindre lueur, seulement la pluie, triste et désespérante. En ouvrant doucement la porte, j'ai aperçu dans un long corridor des gardes raides comme des piquets postés devant des ouvertures. Aucun bruit, aucun renseignement à glaner : le château était plongé dans le sommeil… Et dehors, que se passe-t-il alors que le vent mêlé à la pluie hurle en rafales ?

1 heure de l'après-midi

Ça y est ! Le dénouement approche ! On vient de me dire que le départ du convoi ramenant le roi et sa famille à Paris était imminent. Je dois me tenir prête : une place pour moi est prévue dans une des nombreuses voitures qui suivront la calèche royale. Elles sont sur la place d'Armes. Serai-je quitte pour autant ? Pas sûr ! Tant que je ne serai pas à Paris, je ne pourrai me sentir libérée.

Avec un certain soulagement, je quitte ce lieu d'enfermement. Depuis l'aube, la tension n'a pas cessé de monter. Voici les événements tels qu'ils se sont passés, un peu en désordre et dans la confusion de ma tête bien lourde…

La pendule marquait cinq heures lorsqu'une clameur sourde monta et me sortit de ma torpeur. J'empruntai le couloir vidé de ses gardes et me dirigeai vers le tumulte :

– Sauvez la reine ! hurla une voix d'homme haletante.

Je me réfugiai dans un recoin pour échapper à la foule armée de piques, de pioches, de fusils et qui avait réussi à s'introduire. Elle s'en prenait à deux pauvres gardes du corps barrant le passage d'une porte à double-battant. Je sus plus tard qu'elle commandait l'accès des appartements de la reine. Celle-ci, alertée, se précipita pieds nus, un châle sur ses épaules, vers le salon de l'Œil-de-Bœuf pour gagner les appartements du roi. Horreur ! La porte était fermée et restait close en dépit des martèlements désespérés de la reine qui, la peur au ventre, attendait dans un brouhaha infernal. Les insurgés étaient à sa recherche et forçaient les armoires, éventraient les lits, défonçaient les portes ! Un laquais à l'oreille fine finit par entendre les coups de la reine : il ouvrit. Au même moment arrivèrent le dauphin et sa sœur… La famille réunie au complet était sauve !

Comment me suis-je retrouvée dans ces appartements, auprès des conseillers affolés, des ministres aux traits creusés, des courtisans indignés ? Je ne le sais pas. La plupart de ces gens d'importance avaient une allure grotesque : dépenaillés, en chemise, pieds nus, le crâne rasé sans perruque… Une garde rapprochée en déroute ! Ce spectacle n'était pas fait pour me rassurer… Qu'allait-il maintenant se passer ?

– Le roi à Paris ! Le roi à Paris ! commença à hurler la foule massée au pied des fenêtres.

Le général de La Fayette, rasé de près et sanglé dans son bel uniforme, se pencha vers le roi et lui chuchota quelques mots. Celui-ci, flegmatique, s'avança, sans laisser paraître la moindre émotion, et se présenta au peuple. Aussitôt un tonnerre d'applaudissements éclata. Nous étions tous soulagés. Mais ce ne fut pas tout. Quelques instants après, une voix s'éleva, amplifiée rapidement par des milliers d'autres :

– La reine ! La reine au balcon !

Un silence pesant paralysa tout le monde. Marie-Antoinette la première, figée sur place, le teint livide et la mâchoire contractée.

Dans un sursaut, alors que les vitres tremblaient de plus en plus sous la force des cris, elle empoigna ses deux enfants et se dirigea, les épaules redressées et la tête haute vers la fenêtre ouverte.

Un silence glacial tomba brusquement. Puis un cri, un seul, repris en écho :

– Point d'enfants !

La reine au supplice hésita. Elle reconduisit ses enfants et réapparut en regardant la foule muette droit dans les yeux. Les fusils et les piques s'abaissèrent les uns après les autres. M. de La Fayette s'inclina devant elle et lui baisa la main. C'est alors que le hurlement le plus imprévu jaillit de milliers de poitrines :

– Vive la reine ! Vive la reine !

Dans la pièce, tous ses proches la félicitèrent mais elle avait les larmes aux yeux : elle n'était pas dupe.

– Maman, j'ai faim ! pleurnicha le dauphin enfoui dans ses jupons.

L'enfant était accompagné de son petit chien Mouflet, qui fut bientôt rejoint par un autre à la queue frétillante.

– Mais, c'est Pipounet ! dis-je tout fort en reconnaissant le chien que l'on avait cherché un bon moment à l'atelier.

Sa maîtresse, à sa recherche, apparut peu après. Nous fûmes bien aises de nous retrouver !

Elle m'annonça que le départ pour Paris venait d'être décidé et que, comme tout le monde ici, elle serait du voyage. Hortense paraissait encore plus inquiète que moi. Elle était blême, agitée. Elle me quitta pour aller ranger ses affaires en me promettant de nous retrouver très prochainement…

Dès ce moment-là, la pièce remplie de monde se vida. Partout dans le palais, ce n'est plus que piétinements, bruits de portes, grincements… On s'active avec fièvre, dans la plus grande précipitation. Il faut faire au plus vite !

10 heures du soir

Je tombe de sommeil, mais je ne me coucherai pas tant que je n'aurai pas rapporté la fin de cette incroyable journée. Même si je l'ai déjà racontée à l'atelier, il me faut l'écrire…

Quelles têtes stupéfaites ont faites les cousettes et Mlle Bertin quand je suis arrivée vers huit heures ce soir à l'atelier ! Je ne les oublierai jamais ! Même à cette heure avancée, personne ne songeait à partir et toutes étaient tourmentées depuis la veille par cette question : « Où donc est passée Louise ? »

J'ai tout expliqué depuis le début et, suspendues à mes lèvres, elles m'ont écoutée parler, parler, quitte à m'assécher pour toujours le gosier !

Ici, je reprends là où je m'étais arrêtée, juste avant de quitter Versailles…

Vers une heure et demie, alors que j'étais déjà sur la place d'Armes, j'ai vu s'ouvrir les grandes grilles dorées du château. Un lourd carrosse tiré par six chevaux s'engagea sur la route de Paris. À bord se trouvaient le roi, la reine, le dauphin, sa sœur, le frère du roi, le comte de Provence, son épouse et la gouvernante, Mme de Tourzel. Que pouvaient-ils penser pendant que la foule déchaînée criait bruyamment son enthousiasme ?

Dans une cohue indescriptible, j'ai réussi à prendre place en tenant Hortense par la main : elle avait l'air tellement perdu ! Pipounet, qui était caché dans son gros sac en toile, ne tarda pas à apparaître. Il sauta partout, sur les bras d'Hortense, sur mes genoux, sur les épaules du laquais, mon voisin, en aboyant avec rage, tellement excité par le tumulte !

À l'arrière du convoi, de très nombreux chariots pleins de blé et de farine attendaient avant de s'ébranler. Une chose était sûre, on allait avoir du pain à Paris !

– Ne vous penchez pas à la fenêtre, Hortense !

J'avais aussi peur qu'elle, mais la prendre sous ma protection (ou faire semblant) me rassurait. Juste avant de monter, je venais d'apercevoir, au bout de deux piques, les têtes des gardes qui avaient été tués lors de l'assaut ce matin. Un haut-le-cœur souleva ma poitrine : le spectacle était si effrayant…

Notre étrange caravane mit sept longues heures pour arriver jusqu'à Paris. Ceux qui la regardaient passer s'étonnaient, riaient. N'était-ce pas un défilé de carnaval ? Des gardes nationaux avançaient en tête la pipe à la bouche, brandissant des miches de pain piquées à la pointe de leurs baïonnettes. Suivaient des femmes assises en amazone sur la croupe des chevaux, aux côtés de dragons, d'autres allant à pied au bras de soldats, des hommes déguisés en femmes… Par moments, ils chantaient ou criaient :

– C'en est fini de la famine ! Nous ramenons le boulanger, la boulangère et le petit mitron !

J'étouffai un cri de surprise et restai un moment sans voix quand un chariot tirant un canon dépassa notre voiture. À califourchon étaient installées deux femmes que je n'eus aucun mal à reconnaître : Ninon et la mère Faucheux ! Ça alors ! Dire que mon amie et ma seconde patronne étaient là, à Versailles derrière les grilles du château, pendant que je tremblais comme une feuille dans un petit salon ! À présent, elles étaient à quelque distance de moi, marchant dans la même direction !

Elles disparurent vite dans la foule du cortège. Elles avaient probablement rejoint l'avant du convoi… Je ne pus en parler à Hortense qui s'était assoupie, Pipounet endormi sur ses genoux.

À mesure que nous approchions de Paris, les acclamations remplacèrent les insultes. Les gens massés sur le bord de la route exprimaient avec force leur allégresse. Ce ne fut plus que vivats, ovations :

– Vive le roi à Paris ! Vive le dauphin !

À la porte de la Conférence (c'est le laquais qui nous l'a dit), le convoi stoppa. Il faisait déjà nuit. Le maire de Paris, comme le veut l'usage, était venu au-devant du roi pour lui présenter sur un plat d'or les clefs de la ville.

La caravane s'ébranla à nouveau. Nous étions tous à bout de forces. Combien de temps cela allait-il encore durer ? Un long moment encore, le temps d'atteindre l'Hôtel de Ville où, à la lumière des flambeaux, le peuple de Paris piétinait d'impatience. Sur la place de Grève, notre voiture s'arrêta : je pris congé d'Hortense qui pleura à chaudes larmes d'inquiétude et d'épuisement.

– Vous au moins, vous savez où vous allez dormir… Moi, je n'en ai pas la moindre idée !

Le laquais qui devait l'accompagner jusqu'au château des Tuileries ne lâcha pas un mot de réconfort. Gêné, il se contenta de tourner la tête. Moi, je me sentais coupable de laisser Hortense aussi désemparée. Je bredouillai quelques mots, caressai une dernière fois Pipounet et m'élançai à toutes jambes, le long de la Seine. Il me fallait courir, sentir l'air frais dans mes cheveux, sur mes joues, ne plus penser à rien. Quelle histoire !

Jeudi 8 octobre

Le calme est revenu. Le peuple a obtenu gain de cause. La présence du roi le rassure. Il pense qu'il mettra fin à ses difficultés et à ses souffrances. Il a sûrement raison !

Ninon et la mère Faucheux étaient hier célébrées comme des héroïnes, à la taverne. Il fallait les voir bomber la poitrine et prendre ces airs importants ! Elles aussi ont fait le récit de leur épopée avec force moulinets des bras, escalades sur le tabouret, pas de danse : un véritable spectacle à lui tout seul.

Toute à son excitation, Ninon n'a rien répliqué quand je lui ai dit que j'étais, au même moment, comme elle, à Versailles… Une grande déception m'a envahie. Soudain, j'ai vu Ninon autrement : sûre d'elle, cassante, la tête montée par Justin et son frère, de plus en plus éloignée de moi…

La mère Dubois, en revanche, était avide de tout

savoir. Elle me guettait au pied de la maison et m'installa dans son logis sur son unique chaise pour que je lui raconte tout, du début à la fin.

– Tenez, reprenez des forces, vous en avez besoin après ce qui vous est arrivé ! dit-elle en me présentant une petite tarte aux pommes encore tiède. Ça a eu du bon, puisque la farine est revenue !

J'ai souri en posant la main sur son épaule : elle me faisait penser à la mère Angèle, ma bonne aubergiste bretonne toujours prompte à me faire des gâteries…

Samedi 14 novembre

Ce soir, je reprends la plume en prenant bien soin de ne pas écrire trop longtemps. Ma main n'est pas encore tout à fait guérie depuis ce maudit jour d'octobre où j'ai glissé dans la rue sur le pavé luisant. En récompense : une belle entorse à la main droite !

Mon poignet craque encore et mes doigts sont gourds… Alors je vais au principal.

Une lettre de l'abbé Breuil au ton faussement rassurant. Que cherche-t-il à me cacher ? La vie au village et dans les alentours était-elle aussi calme qu'il veut bien le dire ? Je lui ai répondu (très brièvement à cause de mon poignet) en lui disant toute mon inquiétude.

Longues absences de la patronne qui, plus que jamais, court les routes à la poursuite d'anciennes créances et à la recherche de nouvelles commandes. Turin, Coblence, Bonn, Genève. La plupart de ses clientes y sont émigrées et jouent à nouveau les élégantes dans les salons où elles se reçoivent. Pendant ce temps-là, Adélaïde et la Véchard jouent les cheftaines et Rosine redouble de pitreries. Elle a réussi à se faire embaucher comme ouvreuse du soir au théâtre des Variétés-Amusantes. Il faut voir sa jubilation quand elle s'y rend après la journée passée à coudre !

Ninon m'attriste. Chaque fois que je la vois, je mesure la distance qui me sépare d'elle. Ses manières sont devenues plus grossières : des répliques à l'emporte-pièce, un rire en cascade et des mots que j'ose à peine prononcer et encore moins écrire. À part son Justin et les discussions politiques de la taverne, plus grand-chose ne l'intéresse... Va-t-elle redevenir comme avant ? J'aimerais bien !

Marcellin passe son temps à la taverne. Il y est chaque soir après sa journée de travail. Ces derniers dimanches, il m'a aidée à débarrasser les tables car il voyait bien que je peinais avec ma main bandée. En échange, j'ai dû accepter de me promener avec lui : je n'ai pas regretté. Le jardin des Tuileries sous le soleil mordoré de l'automne, c'est si beau !

Mardi 22 décembre

La mère Dubois a accepté de louer jusqu'au printemps sa grande chambre à un groupe de ramoneurs venus de Savoie. Par ces temps difficiles, elle n'a pas fait la fine bouche même s'ils étaient toute une ribambelle ! Alors que leur campagne à Paris venait de commencer, ces petits bonshommes sont arrivés avec leur patron, noirs de la tête aux pieds, tenant à peine debout tant ils semblaient épuisés... À la fatigue de leur voyage à pied s'ajoutait l'éreintement du dur labeur : monter et descendre le long d'une quarantaine de conduits de cheminée par jour pour les nettoyer !

Dans ma chambre, comme chaque soir, j'étais penchée sur mon cahier quand la porte qui était entrouverte a grincé. J'ai sursauté : un petit garçon haut comme trois pommes, encore tout couvert de suie était en train d'avancer vers moi...

– Qu'est-ce que tu fais ? Tu écris ? a-t-il demandé en me montrant son visage où n'apparaissait que la couleur blanche de ses dents et de ses yeux ronds.

Il est resté un moment debout silencieux, regardant ma feuille de papier avant de repartir. Le jour suivant, il est revenu. Le jour d'après aussi. Nous avons parlé de sa vie, de ses compagnons, de son travail et nous sommes devenus de grands amis ! Même s'il vient de temps en temps avec sa marmotte... Quand je vois l'animal en boule dans le creux de son bras, j'avale ma salive et je me redresse, l'air peu rassuré. Je n'y peux rien, toutes ces petites bêtes à poil me font horreur !

– Donne ta main !

Un soir, Louison me l'a prise un peu de force et l'a posée sur le pelage de Grisette (c'est son petit nom).

J'ai souri et l'animal a frémi. C'est vrai que son poil est doux à caresser et que son petit museau qui remue en permanence lui donne une expression comique !

Vendredi 25 décembre

Aujourd'hui, c'est Noël et il fait froid. La ville semble engourdie. Pourtant, ce matin, dans le ciel d'un gris de plomb s'est élevé le tintement joyeux des cloches de toutes les églises. Un vrai concert ! Même le gros bourdon de Notre-Dame s'est mis en branle. De son battement sourd, il a appelé les fidèles à la prière. Avec la mère Dubois, Louison et les autres, bien emmitouflés, on est allés entendre la grand-messe à Saint-Roch. Les chantres ont entonné les cantiques de Noël et toute l'assemblée s'est rendue en procession devant la crèche. Je me suis pincée pour m'empêcher de penser à l'abbé Breuil et à maman. Sans eux, que cette fête est triste ! Mon cœur se serre et des larmes chaudes roulent sur mes joues… Heureusement que les Savoyards sont là… Tout l'après-midi, ici, ils ont joué de la vielle devant la porte de chaque logement. Les accents mélodieux de la musique ont chassé mes pensées tristes et les oublies de la mère Dubois m'ont redonné un peu de gaieté. Quand reverrai-je ma Bretagne ? Je me le demande souvent.

Mardi 2 février 1790

Il faut absolument que je raconte mon après-midi passé au palais des Tuileries !

Depuis quelque temps, lorsqu'elle ne court pas les routes, ma patronne a pris l'habitude de s'y rendre. La reine recluse et privée de ses chères amies apprécie, je crois, sa compagnie. De plus, là comme à Versailles, elle doit continuer à exercer son métier de reine, paraître aux côtés de son époux, dîner en public avec lui, recevoir les ambassadeurs et tout cela avec des robes, des tenues différentes à chaque fois ! Les services d'une modiste lui sont toujours autant nécessaires.

Pour aller jusqu'à elle, combien de haies de gardes suisses, de gardes nationaux, de porte-clefs avons-nous traversées ? Le palais est une place forte où il faut montrer patte blanche à chaque pas. Comment ne pas s'y sentir prisonnier ?

Mme Campan, qui nous fit entrer, avait perdu un peu de sa superbe, mais pas de sa rancœur envers la patronne. Avec un malin plaisir, elle nous a fait attendre dans une petite pièce aux vitres sales et à l'odeur de renfermé où des objets de toutes sortes avaient été entassés. Mlle Bertin eut tout le temps de m'expliquer que le palais, au soir du 6 octobre dernier, était dans un bien triste état : poussiéreux, lugubre, encombré par cinq ou six cents locataires installés là – avec ou sans la permission du roi – et qu'il avait fallu déloger en grande hâte. Peu à peu, on l'a aménagé, fait venir de Versailles des meubles, de la vaisselle et des tapisseries, installé des escaliers intérieurs entre les appartements privés de la famille royale…

La grosse femme de chambre revint et, les lèvres pincées, nous pria de la suivre… J'eus un choc. Dans le miroir où je vis la reine s'avancer se reflétait l'image d'une autre personne. Tout aussi droite et distinguée, mais incroyablement vieillie, le cheveu blanc, la bouche crispée, les yeux tirés par l'angoisse et la peur. Elle était aux aguets, sur le qui-vive, tel un animal traqué.

Je n'assistai pas à l'entretien. La reine demanda à voir ma patronne en particulier. Cela ne m'étonna pas. Dans ce palais planait un tel air de méfiance et de crainte… Ça rendait si mal à l'aise !

Assise sur une banquette dans un corridor, j'attendis sagement en observant le spectacle des allées et venues… Telle une envolée de moineaux, un groupe d'enfants passa devant moi, criaillant, sautillant en martelant le vieux parquet de bois.

– Louise ! Quelle surprise ! Que fais-tu ici ?

C'était Hortense qui s'était détachée de la compagnie. Elle affichait le même air triste que le fameux soir d'octobre où je l'avais quittée. Peu à peu, son visage s'anima et elle commença à me parler. Ici, dans ce palais, le temps lui semblait bien long… Sa marraine, Mme de Neuilly, avait promis de venir la chercher, mais, depuis des mois, elle n'avait aucune nouvelle d'elle, pas plus d'ailleurs que de son père, le marquis de la Chapelle du Lou de Quédillac. En entendant ce mot qui était aussi le nom de mon village, j'eus un coup au cœur. Soudain, je sentis Hortense très proche de moi, avec une envie forte de la serrer dans mes bras comme ma propre sœur. Je bredouillai quelques mots et tentai d'en savoir un peu plus sur les événements survenus au bourg ces derniers temps quand l'irruption d'une fillette interrompit notre conversation. Hortense me la présenta. Elle s'appelle Pauline de Tourzel : sa mère a le grand privilège de servir la famille royale au titre de gouvernante des enfants de France. Visiblement, la jeune fille en éprouve une grande fierté qui frise l'arrogance... Sans chercher à savoir qui j'étais, elle prit le bras d'Hortense pour l'éloigner de moi. Celle-ci la suivit à regret en me demandant si je reviendrais bientôt. Et moi qui restai là, plantée comme une godiche, les bras ballants, ravalant avec amertume toutes les questions que je brûlais de poser sur ma chère Bretagne !

Dimanche 7 mars

La fatigue me fait ressembler ce soir à un poids mort. Heureusement, elle épargne mon bras et ma main qui acceptent encore d'écrire. Pas pour bien longtemps, alors je vais faire court.

Aujourd'hui dimanche, à la taverne, j'ai fait le travail de deux personnes. Le mien et celui de

Ninon. Elle a passé plus de temps à sangloter au-dessus des casseroles qu'à servir les habitués attablés dans la salle. La mère Faucheux, bonne et brave, a évité de la brusquer et m'a fait comprendre en quelques regards qu'il fallait faire l'ouvrage à la place de Ninon. J'ai bien vite deviné la cause de son désespoir. Bien avant qu'elle balbutie quelques mots quand nous fûmes seules dans la cuisine. Justin, c'était bel et bien fini. Ninon l'avait surpris la veille au soir, faisant le beau devant une jolie fille qui le tenait au bras, dans le jardin du Palais-Royal. Les deux anciens amoureux avaient eu une vive explication. Et Ninon s'était vite rendu compte que le cœur de Justin s'était envolé. Moi aussi j'ai du mal à l'admettre. Mais, au fond de moi-même, je ne suis pas mécontente. Ninon est libérée de celui qui lui dictait ses pensées et ses actes. C'est Justin qui lui a donné ce regard dur, cette attitude intransigeante, cette façon de parler vertement qui m'ont éloignée d'elle. À présent, tout cela va s'effacer, elle va redevenir comme avant !

Dans son regard noyé de tristesse, j'ai senti que l'emprise de son ami se desserrait peu à peu et qu'une petite lueur se rallumait : celle illuminant son joli minois au temps où elle était au *Grand Moghol*.

Marcellin est arrivé dans l'après-midi. Lui aussi avait l'humeur chagrine, peiné sans doute de trouver sa sœur si accablée. Comment en est-il venu à parler du roi ? Je ne m'en souviens pas… Toujours est-il que la fièvre est montée aux *Trois Écus*, comme l'année dernière, au soir des grandes journées…

Le frère de Ninon s'est élevé contre la faiblesse de Louis XVI, ses tergiversations, pour finalement s'interroger sur son utilité, exactement comme le martèle Camille Desmoulins, son idole, régulièrement dans son journal. Là-dessus, un habitué, le père Mascard, a posé ses deux grosses mains sur sa table et s'est appuyé dessus pour se déplier lentement, le rouge montant à ses joues.

– Une nation sans roi est un pays sans tête ! a-t-il tonné. Nous avons besoin d'un chef unique, respecté, disposant de nombreux pouvoirs et notamment de celui d'exécuter les lois !

Marcellin s'est hissé comme un coq sur ses ergots et a répondu qu'aux États-Unis, il n'y avait pas de roi et qu'on s'en portait fort bien. Mascard a pris la mouche et a demandé qu'on cesse d'insulter le roi. Il a empoigné un tabouret et l'a brandi en direction du groupe soutenant Marcellin.

– Halte-là ! a hurlé le père Faucheux en s'interposant.

Il a fallu du temps pour que le calme revienne.

Mercredi 24 mars

Décidément, de tous côtés, on prend la poudre d'escampette ! À la maison, à l'atelier, sans compter les nobles qui ferment leurs grandes maisons et s'engouffrent dans des berlines pour fuir on ne sait où.

Louison m'a fait ses adieux, il y a deux jours. À l'aube, il a pris la route en direction de la Savoie où on l'attend pour prêter main-forte aux gros travaux du printemps et de l'été. J'ai glissé une friandise au miel dans sa besace, puis il a disparu après avoir juré être de retour à la Toussaint.

À l'atelier, c'est encore plus triste. Rosine, le joyeux drille, s'en est allée. La mort dans l'âme, elle a annoncé la nouvelle à Mlle Véchard. Et ce fut bien pire encore lorsqu'elle a dû quitter le théâtre des Variétés où elle remplaçait de temps en temps le souffleur. Son visage, d'habitude lumineux de gaieté, était ravagé par les pleurs. Elle doit se rendre au chevet de sa vieille maman très malade qui demeure à Senlis.

– Reviens-nous vite ! lui a-t-on crié, massées sur le pas de porte du *Grand Moghol*.

Elle ne s'est pas retournée, mais je suis sûre qu'elle nous a entendues. Après son départ, l'atelier est apparu immense et vide. D'autant plus que Marie et Adèle, les deux punaises, se sont envolées elles aussi. Elles ne sont pas allées bien loin. Le concurrent de la patronne, le dénommé Beaulard qui tient boutique rue Saint-Honoré, les a débauchées.

– Il croit sans doute que c'est une façon d'appâter les clientes du *Grand Moghol*... Il se trompe d'époque, ce cher Beaulard ! a ironisé la patronne en apprenant le départ de ses filles.

Au fond, elle enrage, elle peste contre cet homme

qui cherche à lui faire du tort. Nous, on est bien débarrassées : que ces coquines aillent au diable !

Dimanche 18 avril

Aujourd'hui à la taverne, j'ai appris que mon pays ne s'appelait plus la Bretagne. C'est désormais l'Ille-et-Vilaine, du nom des deux rivières qui le traversent. MM. les députés en ont décidé ainsi. Ils viennent de se mettre d'accord sur les noms des quatre-vingt-trois départements quadrillant à présent le royaume. Fini les provinces ! Plus de Normands, de Bourguignons, de Provençaux ou de Champenois puisqu'il n'y a plus que des Français. En avalant leur soupe, les clients ont écouté religieusement la liste dans le journal, lue par le père Faucheux. Puis, un brouhaha indescriptible est monté. Chacun voulait savoir le nom du département dont il était originaire en y allant de son commentaire.

Samedi 26 juin

Ça y est, j'ai à nouveau du papier ! Comme les papeteries du quartier ferment toutes, Marcellin a accepté de m'accompagner de l'autre côté de la rive, au Quartier latin.

– À une condition ! a-t-il lancé d'un ton bourru. Celle de passer par le club des Cordeliers, sis rue de l'Observance : il vient d'ouvrir !

Il aurait pu me demander n'importe quoi, j'aurais été d'accord tant j'avais besoin de ma matière première. J'en manque depuis près de deux mois.

Depuis tout ce temps, que de changements ! Par où commencer ? Conformément aux grands principes de la Déclaration des droits de l'homme, il n'y a plus de noblesse. Impossible d'un côté de brandir le mot « égalité » et de l'autre se casser le dos en courbettes au passage de Monseigneur, de Son Éminence, ou de Son Excellence ! À présent, ils sont comme nous.

Partout dans la ville, on veut le faire savoir. À grands coups de marteau, on abat tout signe de noblesse : armoiries, couronnes, devises ornant le fronton des belles demeures de pierre. Cet après-midi, dans les rues, ça n'était que démolition et poussière. Pas l'ombre d'un aristocrate et beaucoup de badauds opinant du chef ou tapant des mains de contentement. Marcellin dit que c'est important car les signes ont de la valeur dans la tête des gens.

Plus de noblesse et plus de clergé non plus... En tout cas plus pour très longtemps. L'Assemblée a décidé que tous les biens du clergé appartiennent maintenant à la nation. Même si c'est une façon de remplir les caisses, ce n'est pas du goût de tout le monde... Un peu partout, on commente, on murmure... Je donnerais cher pour savoir ce qu'en pense l'abbé Breuil...

Au club des Cordeliers où le portier a bien voulu nous laisser entrer, on se serait cru dans un chaudron.

Quel tapage ! Quelle fièvre ! Des applaudissements frénétiques provenant des gradins remplis d'hommes échauffés répondaient aux orateurs qui se lançaient dans des discours enflammés. Il y avait un tel vacarme sous les voûtes de cet ancien couvent qu'il fallait faire un effort surhumain pour savoir de quoi on parlait ! J'ai seulement entendu des mots comme « république », « complot », « race », « scélérate » et « Autrichienne ». Marcellin était subjugué. Il suivait le fil des discours, béat d'admiration.

Sur le chemin du retour, il m'a expliqué que dans ce club-là germaient les idées les plus avancées. Grâce à elles, on irait encore plus loin…

– Parce que tu crois que la révolution n'est pas finie, toi ? lui ai-je demandé, étonnée.

– Bien sûr que non ! dit-il en levant les bras, indigné par tant de naïveté…

Sa voix fut aussitôt couverte par celle du vendeur de journaux criant et répétant :

– Il est bougrement en colère aujourd'hui, le *Père Duchesne*.

Marcellin acheta un exemplaire de ce journal qu'on s'arrachait depuis quelque temps et, avec avidité, il s'y plongea pendant tout le reste du chemin.

Mardi 6 juillet

Dans quelques jours, c'est l'anniversaire de la prise de la Bastille… Un an déjà ! Tout Paris a les yeux tournés vers le Champ-de-Mars, cette grande esplanade où on va le célébrer.

Avec Ninon, bras dessus bras dessous, on s'y est rendues dimanche dernier. Quel chantier ! À coups de pics, de pelles et de brouettées, des ouvriers auxquels se mêlent des volontaires sont en train de creuser dans la terre un immense amphithéâtre. On dit qu'il contiendra quatre cent mille spectateurs. Un escalier mènera à l'autel de la Patrie où trônera le roi. De toute la France arriveront plus de vingt mille fédérés. Ils représenteront les départements qui viennent d'être créés. C'est en écoutant un homme bien mis et bien renseigné que je sais tout cela.

Dans la ville flotte un air de fête, un peu comme à la fin de l'été dernier. Ninon a retrouvé le sourire. Elle ne me parle plus de Justin, mais dès qu'on l'évoque ou dès qu'il apparaît, elle a du mal à cacher son trouble.

Dimanche 11 juillet

Quelle ambiance dans les rues ! Mercredi, la fête promet d'être splendide ! Depuis plusieurs jours, aux portes de Paris et au-delà, les Parisiens viennent accueillir le flot grossissant des délégués qui convergent vers la capitale. Ils sont un peu dépenaillés, ils ont l'air d'avoir chaud et soif, peu importe ! Ils sont fêtés comme des rois : on les embrasse, on leur tend des verres de vin, on trinque avec eux et on chante. La chanson qui court sur toutes les lèvres en ce moment résonne partout comme un écho :

Ah ! ça ira, ça ira, ça ira,
Le peuple en ce jour sans cesse répète,
Ah ! ça ira, ça ira, ça ira,
Malgré les mutins tout réussira !

Je suis allée à la barrière d'Enfer cet après-midi. Le bruit a couru que les Bretons étaient en train d'arriver… Comme un piquet, j'ai attendu longtemps quand des cris ont surgi :

– Les voilà ! Les voilà !

Le cœur battant, je me suis approchée… Cruelle déception… Ce n'étaient pas des Bretons mais des gars de la Mayenne et de la Sarthe !… J'en ai interrogé un qui m'a dit qu'ils arriveraient dans un jour ou deux. Forcément, ils ont plus de chemin à faire !

Mercredi 14 juillet

Il est bien tard. L'excitation qui m'a tirée du lit tôt ce matin n'est pas encore retombée. Heureusement, j'ai tant de choses à raconter avant d'être gagnée par le sommeil. Quelle journée inoubliable !

Jamais je n'avais vu dans un ordre aussi parfait tant de monde réuni. Plus de quatre cent mille personnes dit-on : une gigantesque marée humaine ! Même si le vent soufflait en bourrasques, que des giboulées nous ont trempés jusqu'aux os et que la cérémonie a été interminable, la fête était magnifique. Tout le monde y a communié avec une grande ferveur et une joie sans fard a gonflé toutes les poitrines.

Avec tout le quartier (Ninon, la mère et le père Faucheux, la mère Dubois et quelques autres) nous nous sommes rendus très tôt au Champ-de-Mars où des gens avaient pris place depuis la veille. Impossible de compter sur la moindre place. Tout était occupé. Par la grâce du Ciel, le père Faucheux a retrouvé une vieille connaissance qui nous a conduits à un endroit d'où on pouvait tout voir et tout entendre. Quelle chance !

Un grand frisson a traversé mon corps lorsque quarante coups de canon ont déchiré le ciel dans un grondement assourdissant. Ils saluaient l'arrivée du roi. De toutes parts, pendant un long moment, ce ne fut qu'acclamations, vivats, hurlements de joie :

– Vive le Roi ! Vive la Nation !

La liesse fut à son comble après l'instant le plus solennel de cette célébration : le serment prêté par le roi à la Constitution :

– Moi, roi des Français, je jure d'employer le pouvoir qui m'a été délégué à maintenir et à faire exécuter les lois.

La reine s'est alors levée et, à bout de bras, a hissé son fils pour le présenter à la foule. Ce fut un instant poignant. Autour de moi, j'ai vu des larmes d'émotion couler sur les joues de femmes et d'hommes. Un tonnerre d'acclamations roula longtemps au-dessus du Champ-de-Mars. Le Roi, la Nation, la Loi ne faisaient plus qu'un.

Cette première fête nationale a fait vibrer tous les cœurs. J'ai encore dans les yeux la couleur des drapeaux (il y en avait quatre-vingt-trois) qui flottaient au-dessus de l'autel de la Patrie, l'emblème tricolore arboré partout : sur les robes, les bonnets, les revers… Et dans la tête me reviennent encore les paroles que l'on a chantées en revenant chez nous :

Ah ! ça ira, ça ira, ça ira,
Du législateur tout s'accomplira…
Vive la révolution !

Jeudi 15 juillet

Je suis encore toute tremblante. Le feu embrase mes joues, et mes pieds me brûlent à force d'avoir couru depuis la place Royale comme une démente. Je prends la plume pour me calmer : son crissement agit comme un remède…

Tout avait pourtant si bien commencé !

Ninon, Marcellin et moi ainsi que quelques connaissances avons attendu la nuit pour nous rendre au bal qu'on donnait sur la place Royale, de l'autre côté des Tuileries. En ce moment, il y a l'embarras du choix ! Depuis hier et pendant quelques jours encore, on célèbre les fédérés de la Nation par toutes sortes de festivités : revue militaire, joute sur l'eau et fêtes populaires où se mêle la foule des Parisiens aux quatre coins de la ville. Guirlandes, lampions et lanternes illuminent les lieux où des orchestres jouent des contredanses. Quelle féerie ! Pendant des heures, nous nous sommes laissé porter au rythme de la musique entraînante, enchaînant farandoles, gavottes, sarabandes et bourrées. Nous riions beaucoup et l'ambiance de franche gaieté nous soulevait de terre sans que nous ressentions la moindre fatigue.

Marcellin ne me quittait pas d'un pouce. Dès qu'il me fallait un cavalier, c'était lui qui se présentait ! Entre deux danses, lorsque je fus assise pour reprendre mon souffle, je sentis quelqu'un effleurer mon épaule par-derrière. Je me retournai et découvris la mine hilare de Mathurin Toinel, un gars de chez moi. Il avait été choisi comme délégué du bourg proche du mien et se trouvait à Paris depuis trois jours. Ça alors ! J'étais au comble du bonheur : l'entendre parler avec l'intonation de voix, les expressions qui m'étaient si familières, connaître les nouvelles du pays qui ne me parvenaient plus depuis longtemps, savoir qu'il retrouverait tous les miens d'ici quelques jours… Je ne me lassais pas de l'écouter et de le questionner, au risque de rabrouer plusieurs fois Marcellin qui m'invitait à danser.

Lorsque Mathurin prit congé de moi, ma bonne humeur s'était envolée. En dépit de tous mes efforts, j'avais du mal à être enjouée et à rire de bon cœur comme les autres. À un moment, alors que j'étais en retrait du groupe, Marcellin surgit. Il n'était plus tout à fait le même. Son visage était devenu blême et ses tempes luisaient de transpiration. J'eus un petit mouvement de recul, mais lui s'avança encore plus près de moi, chercha à me serrer contre lui en m'expliquant, haletant, qu'il avait des projets pour moi. Son haleine trahissait son état : il était ivre. Sans trop comprendre ce qu'il voulait dire, je cherchai aussitôt à le repousser.

Combien de temps me suis-je débattue ? Je ne saurais le dire. Mes cris couverts par le bruit puissant de la musique ne parvenaient pas jusqu'au groupe… Alors, avec l'énergie du désespoir j'ai planté mon talon dans ses orteils et réussi à fuir. Rugissant comme un lion blessé, il a cherché à me suivre mais y renonça quand je commençai à longer le jardin des Tuileries.

Je n'ai pas ralenti mon allure pour autant.

Sa violence m'a fait peur. Il a déchaîné contre moi une fureur qui paraissait contenue depuis bien longtemps. Aura-t-il oublié quand nous nous reverrons ? Je ne sais pas… Il faut que je m'en méfie. Emporté, il paraît capable de tout.

Mercredi 21 juillet

Les bruits de la fête se sont évanouis et la vie reprend son cours habituel ou presque… À la taverne, Marcellin me lance des regards noirs. Sa fureur n'est pas éteinte : il m'en veut beaucoup de l'avoir rabroué.

Dès que je l'approche, il blêmit et sa mâchoire se crispe. Ninon m'a dit qu'il était blessé. Ses sentiments envers moi étaient sincères. Je n'y peux rien moi si je ne ressens rien… sauf peut-être de l'amitié ou de l'affection, à l'égal d'un grand frère.

Jeudi 19 août

Il fait une chaleur torride depuis quelques jours. Pas le moindre souffle d'air. Seulement un soleil qui darde ses rayons dans un ciel bleu d'acier et un peu de fraîcheur pendant la nuit.

Depuis quelque temps, j'accompagne à nouveau Mlle Bertin au palais des Tuileries. L'atmosphère y est de plus en plus détestable. Une suspicion générale pèse sur tout. Chaque geste, chaque parole, chaque visite est commentée. On croit voir des espions qui s'épient les uns les autres derrière chaque porte. On croit que des complots se trament du matin au soir dans les cabinets les plus secrets.

Mme de Tourzel, la gouvernante des enfants de France, a fait ses confidences à la patronne qui lui inspire la plus grande sympathie. Elle lui a dit qu'elle craignait pour la reine qui, jour après jour, est de plus en plus calomniée dans les clubs.

Celle-ci s'est prêtée de bonne grâce aux essayages tout en s'épanchant quelque peu auprès de sa fidèle modiste (la patronne me l'a raconté car je ne suis plus autorisée à entrer dans les appartements privés).

Une nouvelle fois, la reine s'est plainte de sa position affreuse, prisonnière à Paris entre ces murs. Elle a confié aussi qu'elle ne savait pas ce qu'elle craignait le plus, la fureur du peuple prêt à s'introduire dans cette demeure pour s'en prendre à elle ou bien les intrigues des émigrés qui ne cessent d'imaginer des complots, au risque de la compromettre gravement.

Pendant ce temps-là, je me suis dirigée du côté des jardins, à la recherche d'Hortense. Je ne l'ai pas trouvée. Elle était, m'a-t-on dit, en promenade au bois de Boulogne en compagnie de Madame Royale et de Pauline de Tourzel. Par contre, j'ai fait une plaisante rencontre : le dauphin et son chien Mouflet dans son jardinet, à l'extrémité de la terrasse du Bord-de-l'Eau. Encadré par un détachement de gardes qui cherchaient à contenir un petit groupe de quémandeurs, ce petit bonhomme au cheveu roux allait et venait comme si de rien n'était avec un naturel désarmant. Une mendiante à qui il venait d'accorder une faveur s'exclama :

– Ah ! Monseigneur, je serai heureuse comme une reine !

L'enfant royal qui observait ses rosiers releva la tête :

– Heureuse comme une reine ! Moi j'en connais une qui ne fait que pleurer !

Cette remarque ne manqua pas d'attendrir tous les gens présents.

Jeudi 6 décembre

Ce soir, je reprends la plume que j'avais délaissée depuis si longtemps. Va-t-elle m'aider à chasser l'oppression qui pèse sur ma poitrine comme un poids de plusieurs livres ? Va-t-elle attiser, au contraire, mon angoisse et ma grande tristesse ?

Je suis lasse d'avoir trop donné : l'accident de la mère Dubois qu'il a fallu que je remplace dans son travail de logeuse, Louison de retour, impatient de poursuivre son apprentissage de la lecture, et maintenant Ninon, terrassée par la fièvre tierce…

Avec la mère Faucheux, nous nous relayons auprès d'elle pour lui faire avaler, le soir, un peu de bouillon. Le moment est pénible. La pauvre fille ne peut même plus entrouvrir la bouche. Son front et ses tempes ruissellent de mauvaise transpiration. Les barbiers et les apothicaires du quartier se succèdent à son chevet. Qu'ils aillent au diable avec leurs potions, leurs onguents, leurs décoctions miracles ! Ils sont aussi impuissants les uns que les autres.

Lundi 13 décembre

J'ai décroché mon chapelet et je prie la Vierge Marie pour qu'elle intercède en faveur de Ninon. Il n'y a plus que cela à faire. Elle est au plus mal. Marcellin croit encore à sa guérison. Il mesure mal l'état de faiblesse dans lequel se trouve sa sœur.

Quelle tristesse ! À l'atelier, j'ai souvent les larmes

aux yeux et des sanglots qui me remontent dans la gorge. Mlle Véchard voit bien que je suis en proie au plus grand trouble. Elle me lance des regards bienveillants même si mes gestes sont lents et que mon aiguille ne court pas aussi vite que d'habitude.

Vendredi 24 décembre

Ninon nous a quittés. Elle a rendu l'âme en fin d'après-midi, veille de Noël. Le curé de Saint-Roch que je suis allée chercher est arrivé juste à temps… Un signe de croix sur son front brûlant et elle a trépassé. Je m'apprête à la veiller cette nuit ainsi que tous les gens du quartier qui la connaissaient pour l'avoir vue à la taverne. Marcellin est au comble du désespoir, lui qui pensait que tout allait s'arranger ! Il m'est impossible de l'approcher. Il est comme un lion blessé. Et moi, j'ai bien du chagrin.

Lundi 27 décembre

Ninon repose à présent au cimetière Sainte-Marguerite. On l'y a conduite, ce matin, dans un froid glacial. Une langueur immense m'envahit ce soir… J'ai bien du mal à reprendre mes esprits.

Marcellin a beaucoup de chagrin. Est-ce une raison pour s'en prendre à ce prêtre qui n'y est pour rien ? D'abord, il y a eu cette histoire de certificat de baptême. Il l'a cherché partout dans les affaires de sa sœur sans le trouver. Son énervement est monté d'un cran lorsque le curé lui a dit qu'il ne pouvait le croire sur parole. Il lui fallait absolument le présenter si Marcellin voulait que sa sœur soit enterrée religieusement, dans un cimetière près d'une église. Heureusement, j'ai fini par le retrouver dans la chambre de Ninon. La colère de Marcellin a explosé quand il a appris que ce curé, voulant appliquer la loi dans toute sa rigueur, était un réfractaire. Il avait, comme beaucoup d'autres, refusé de prêter serment à la Nation, à la Loi et au Roi ! La mère Faucheux a essayé de calmer Marcellin. Elle y est arrivée même s'il n'a pas manqué de dire au curé, à la fin de l'enterrement, qu'il aurait préféré avoir affaire à un prêtre jureur.

Mardi 22 février 1791

Il pèse sur la ville un climat de plus en plus détestable. La tension est forte. Il n'existe plus à présent que deux camps dans lesquels il faut se ranger. D'un côté, les royalistes qui ne cherchent qu'à abattre tout ce qui a été fait, et, de l'autre, les patriotes voulant poursuivre à tout prix la Révolution même à marche forcée. Et entre les deux ? Rien. Eh bien soit ! Je n'adhère à aucun camp car je ne suis ni une contre-révolutionnaire ni une patriote forcenée. La Révolution est en train de faire son œuvre, laissons-la se réaliser !

À la taverne, je sens que le ton monte. Les idées antiroyalistes font leur chemin… et l'intransigeance aussi. La suspicion s'étend partout. Elle n'est plus cantonnée aux Tuileries. À l'atelier où les langues vont bon train, j'observe la plus grande prudence…

Lundi 7 mars

Mes jambes ne me portent plus et ma main a bien du mal à tenir la plume. Une chose affreuse vient de s'abattre sur moi ! Je me trouve prise aux filets d'une méchante histoire, bien malgré moi !

Pour y voir plus clair, je reprends tout depuis le début… Voyons…

Il faut d'abord que je bloque la porte pour interdire l'accès de cette chambre à toute personne. N'ajoutons pas les malheurs. Il y en a bien assez comme ça ! Et la mère Dubois ? Mon Dieu, j'avais oublié de réchauffer sa soupe. La pauvre femme !

Voilà, je suis plus tranquille à présent. À cette heure, plus rien ne peut me déranger.

Comme convenu, je me suis rendue aux Tuileries cet après-midi pour livrer deux robes commandées par la reine. Au moment où j'ai été introduite dans l'antichambre de la souveraine, la plus grande agitation régnait. En un clin d'œil, elle a tourné à la panique. Les coups de feu, les cris, les cavalcades à l'intérieur du palais m'ont rappelé de mauvais souvenirs. Il fallait s'y résoudre : le peuple assiégeait le château ! Ça n'était pas la première alarme. Combien de fois il avait fallu barricader les appartements privés pour les soustraire à la vindicte populaire ? avouèrent des domestiques placides qui m'entraînèrent dans un recoin à l'abri. Au bout de quelques instants, le calme étant revenu, je me risquai dans un grand couloir. Aussitôt une grosse dame fondit sur moi. Mme Campan ! Elle était complètement affolée. Tournant la tête en tous sens, elle m'entraîna derrière une porte :

– Mademoiselle, Hortense m'a dit que je pouvais vous accorder la plus grande confiance.

Sa voix était haletante et à peine audible.

– Je suis sûre que vous accepterez de rendre ce service... Prenez ce billet et portez-le à un messager qui vous attendra demain à l'angélus sonnant, au Palais-Royal, sous l'arcade face au *Café Corazza*. Il en va de la survie du roi et de la reine.

Elle disparut en courant avant même d'entendre ma réponse.

Le cœur battant, sans réaliser ce qu'il m'arrivait, je pris le chemin de la sortie où tout paraissait calme.

Depuis ce moment, je suis en proie à la plus grande confusion. Que faire ? Exécuter l'ordre de Mme Campan au risque de passer pour une contre-révolutionnaire, pire : une comploteuse... Brûler ce billet et faire comme si je ne l'avais jamais eu au risque de compromettre ma patronne...

Je tenais le maudit billet entre mes doigts en tergiversant de la sorte... Soudain, je le dépliai pour le lire. Rien. Pas une lettre, pas une seule ligne ! Quel tour m'avait donc joué cette diablesse de Campan ?

Puis j'ai approché le billet de la bougie d'un peu plus près... C'est alors que, peu à peu, je vis apparaître des lettres brunes composant le message suivant :

Tenez-vous prêts. Le comte Axel de Fersen vous préviendra bientôt. M.-A.

Une fièvre violente a secoué mon corps. Qu'avais-je fait là ? Ne m'étais-je pas gravement compromise ? Que trame M.-A., c'est-à-dire Marie-Antoinette ?

3 heures

Je n'arrive pas à dormir. Je me tourne en tous sens. Impossible de trouver la paix. Que vais-je devenir ? La peur me fait claquer des dents.

Mardi 8 mars

Ma besogne est accomplie. Pourtant, je me sens à peine soulagée. Au lever, après ma nuit blanche, ma résolution était prise : je porterais le billet au Palais-Royal. La journée a passé bien lentement. Dès que la cloche de l'église sonnait, je tendais l'oreille. J'ai attendu que toutes les cousettes partent pour sortir la dernière. Ainsi, personne ne pouvait me suivre. Au fur et à mesure que je remontais la rue de Richelieu mon cœur cognait de plus en plus fort contre ma poitrine. Je me suis postée devant le fameux *Café Corazza* à l'heure dite et stupeur ! Une jeune et souriante fontainière proposant aux passants de l'eau de mélisse s'est avancée. Je fis un pas vers elle, un peu hésitante et, en tournant la tête, comble de l'horreur, j'ai cru apercevoir de dos Marcellin en grande conversation avec deux jeunes filles ! Blême, j'eus un mouvement de recul. La jeune marchande me tendit alors un gobelet en me grattant le doigt de son index. Pas de doute ! C'était elle la messagère ! Je bus le breuvage et lui tendis le récipient en fer dans lequel je déposai le billet. Elle tourna les talons aussitôt après. En revenant rue du Hazard, j'ai cru entendre plusieurs fois des pas derrière moi qui résonnaient sur le pavé. À chaque fois que je me suis retournée, je n'ai vu personne… C'était étrange.

Dimanche 20 mars

Marcellin est venu à la taverne aujourd'hui. Était-ce pour s'afficher avec ses nouvelles connaissances et me narguer ? J'ai eu un choc lorsqu'il s'est attablé avec Marie et Adèle, les deux vipères passées chez *Beaulard*. En creusant dans ma mémoire, n'était-ce pas elles qui accompagnaient Marcellin près du *Café Corazza*, le soir de la remise du billet ?

Jeudi 19 mai

Ma chambre hier a été visitée. La paillasse a été retournée, ma besace fouillée et les tiroirs de la commode vidés de leur contenu. J'en suis encore toute remuée. Écrire ces lignes me coûte. À présent, j'ai l'impression qu'à toute heure du jour et de la nuit quelqu'un me guette. Qui peut s'intéresser ainsi à mes pauvres affaires, à ma modeste personne ? Un voleur à la recherche de mes maigres économies ? Un espion à la solde d'un parti ou d'un homme important, que sais-je ? La peur fait en moi un lent travail de destruction. Elle me ronge de l'intérieur et me fait perdre la tête… Heureusement mon argent était bien caché, comme mes chers cahiers, d'ailleurs… La mère Dubois m'a promis d'ouvrir l'œil et de mieux surveiller les allées et venues des gens. Je ne suis qu'à moitié rassurée.

Mardi 21 juin

Dans Paris, depuis ce matin, on ne parle que de cela : le roi s'est enfui dans la nuit déguisé en bon père de famille avec la reine, leurs enfants, Mme de Tourzel, Mme Élisabeth et trois gardes du corps.

Partout on s'est rassemblé pour en parler. Le trouble est sur tous les visages. La réprobation aussi, qui enfle… Le roi a osé abandonner son peuple ! Quelle ignominie !

Je comprends à présent la teneur du billet… Le plan d'évasion organisé par la reine et son ami le comte de Fersen était à l'œuvre !

Impossible de me confier à la patronne. Mlle Véchard m'a dit qu'elle était partie en Allemagne depuis avant-hier, sans préciser la date de son retour. Faut-il y voir une coïncidence avec la fuite de la reine ? Peut-être ! Va-t-elle revenir ? Nul ne le sait !

Une grande agitation me gagne et me fait verser dans la déraison. Mais il me reste encore des bribes de bon sens… L'événement de la fuite du roi est grave. Il risque de faire basculer la Révolution vers une mauvaise pente… c'est ce que les gens disent en discutant entre eux. Je crois qu'ils ont raison. En conséquence, il me faut mettre mes cahiers à l'abri. M'en séparer au plus vite… Au cas où quelqu'un de mal intentionné les lirait… afin que personne ne soit compromis, si, un jour, il m'arrive malheur.

Épilogue

Il y a quelques années, lors d'un été pluvieux, les enfants du nouveau propriétaire du presbytère de Quédillac ont découvert ces cahiers. Enveloppés dans une feuille de papier jauni sur laquelle était inscrit : « Abbé Breuil, M. le curé du bourg de Quédillac, département d'Ille-et-Vilaine », ils reposaient au fond d'une malle, protégés par miracle des souris. Leur lecture a été longue et laborieuse... Comment ont-ils été sortis de la cachette où Louise les avait mis à l'abri en juin 1791 ? Dans quelles circonstances ont-ils été emportés en Bretagne et remis à l'abbé Breuil à qui ils étaient adressés ? Personne n'a trouvé de réponse à ces questions.

Pour aller plus loin

La Révolution française : dix ans de bouleversements

Au printemps 1789, la colère, qui monte depuis tant d'années, explose. Les paysans, constituant 96 % de la population, ne peuvent plus supporter le poids écrasant des impôts tandis que la bourgeoisie applaudit les idées des philosophes des Lumières comme Voltaire et Rousseau mettant en avant la liberté et le partage des pouvoirs. Tous dénoncent une injustice profonde face à une aristocratie figée dans ses privilèges, d'autant plus que les dépenses de la Cour s'étalent avec indécence et que les caisses de l'État se vident. À la crise de subsistances se superposent une crise financière et une crise politique graves. La France bascule dans la Révolution.

En juin 1789, c'est à Versailles, dans les grands salons aux lambris dorés, que les députés du Tiers État (bourgeois, artisans, paysans) prennent l'initiative de la rupture. Conscients de leur force, ils entrent en conflit avec le roi, les grands seigneurs et une partie du clergé. Le 14 juillet, la Révolution descend dans la rue à Paris, et marque l'entrée en scène du peuple. Avec la prise de la Bastille, elle devient armée et violente. Elle embrase le pays entier, arme les paysans au moment de la Grande Peur, abolit l'Ancien Régime. En même temps sont lancées les bases d'une France nouvelle où les principes de liberté et d'égalité s'imposent à travers la Constitution, précédée de la Déclaration des droits de l'homme et du citoyen, sorte de catéchisme d'un monde nouveau. Dès lors, une intense effervescence politique se manifeste partout : chaque jour, des titres de journaux et des sociétés politiques fleurissent à Paris et dans les villes de province où l'on commente avec passion les décisions prises par les députés de l'Assemblée au travail.

Face à ce grand chambardement qu'il n'a pas vu venir, le roi oppose une grande passivité. Sous la pression populaire, il se voit obligé de quitter Versailles le 6 octobre avec sa famille pour gagner le palais des Tuileries à Paris où ses faits et gestes pourront être davantage contrôlés. Même si le jour de la fête de la Fédération, le 14 juillet 1790, il jure fidélité à la Constitution devant une foule de 300 000 personnes en liesse, Louis XVI cherche à retrouver son pouvoir absolu perdu. Le 20 juin 1791, il tente de s'enfuir à l'étranger, mais il est arrêté à Varennes et ramené à Paris. L'invasion de la France par les Prussiens et les Autrichiens fait basculer la Révolution dans ses heures les plus sombres. Elle provoque la chute de la monarchie (prise des Tuileries, le 10 août 1792), la proclamation du nouveau régime de la République (première décision de l'assemblée de la Convention) et le 21 janvier 1793, l'exécution de Louis XVI. Pour repousser les périls qui assiègent la France de toutes parts (insurrection vendéenne notamment), les dirigeants recrutés parmi les députés révolutionnaires les plus ardents, appelés Montagnards, emploient tous les moyens. Ils éliminent les Girondins, partisans de la modération, et instituent le Comité de salut public. Sous l'autorité de Robespierre, « la Terreur » est mise « à l'ordre du jour » et traque impitoyablement les ennemis de la Révolution en les envoyant à la guillotine. Finalement, la marche des soldats ennemis est stoppée, mais la guerre ne s'arrête pas pour autant. Au contraire, elle s'éternise pendant le Directoire qui succède en 1795 à la Convention. Elle permet d'exporter les grandes idées de la Révolution au-delà des frontières. Mais surtout, elle sert l'ambition de Bonaparte qui s'empare du pouvoir par la force lors du coup d'État du 18 brumaire (9 novembre 1799) : point final de la Révolution française.

Quelques dates

1789

27 avril : émeute à Paris, la manufacture Réveillon est pillée.
5 mai : ouverture des États Généraux.
4 juin : mort du premier Dauphin.
17 juin : proclamation de l'Assemblée nationale.
20 juin : serment du Jeu de paume.
14 juillet : prise de la Bastille.
17 juillet : le roi adopte la cocarde à l'Hôtel de Ville de Paris.
Juillet-août : Grande Peur dans les campagnes.
4 août : abolition des privilèges et rachat des droits féodaux.
26 août : Déclaration des droits de l'homme et du citoyen.
6 octobre : la foule vient à Versailles et obtient le retour de la famille royale à Paris.
2 novembre : nationalisation des biens du clergé.
22 décembre : création des départements.

1790

12 juillet : constitution civile du clergé.
14 juillet : fête de la Fédération au Champ-de-Mars à Paris.

1791

20-25 juin : fuite de la famille royale. Arrestation à Varennes.

17 juillet : la garde nationale tire sur la foule au Champ-de-Mars.

1er octobre : réunion de la nouvelle Assemblée législative.

1792

9 février : les biens des émigrés sont déclarés biens nationaux.

20 avril : déclaration de guerre à l'empereur de Bohême et de Hongrie, Léopold II.

27 mai : décret contre les prêtres réfractaires. Veto du roi.

11 juillet : proclamation de la patrie en danger.

10 août : insurrection populaire. Le palais des Tuileries est pris d'assaut.

13 août : emprisonnement de la famille royale à la prison du Temple.

2-5 septembre : massacres dans les prisons françaises.

20 septembre : victoire de Valmy stoppant l'invasion prussienne.

21 septembre : abolition de la royauté. Début de la Convention.

22 septembre : date de départ du calendrier républicain.

1793

23 janvier : Louis XVI est guillotiné place de la Révolution à Paris.
Mars : début de l'insurrection vendéenne.
10 mars : instauration du Tribunal révolutionnaire.
6 avril : création du Comité de salut public.
17 septembre : début de la Terreur.
16 octobre : Marie-Antoinette est guillotinée.

1794

4 février : abolition de l'esclavage dans les colonies.
8 mai : fête de l'Être suprême.
27 juillet : coup d'État du 9 thermidor. Arrestation de Robespierre, guillotiné le lendemain. Fin de la Terreur.

1795

Avril-mai : dernières journées révolutionnaires.
8 juin : mort officielle de Louis XVII au Temple.
Octobre : début du Directoire.

10 avril 1796 : début de la campagne d'Italie dirigée par le général en chef Bonaparte.

1798 : début de l'expédition en Égypte.

9-10 novembre 1799 : coup d'État de Bonaparte.

Glossaire

Absolutisme : le roi pouvait faire emprisonner, en signant une lettre de cachet, tout opposant politique à la Bastille. La prise de cette forteresse met fin au pouvoir royal absolu, base de l'Ancien Régime.

Barrière d'Enfer : en 1789, il existe 19 barrières aux portes de Paris. Là est exigé le paiement d'une taxe portant sur les marchandises entrant dans la ville. La barrière d'Enfer était située sur l'actuelle place Denfert-Rochereau.

Belladone : plante qui agit contre la douleur.

Calendrier républicain : créé par la Convention le 21 octobre 1793, il reste en usage jusqu'au 1er janvier 1806. Chaque mois porte un nouveau nom (brumaire, germinal, thermidor...).

Champarteur : homme chargé de percevoir le champart, redevance perçue par le seigneur et portant sur les récoltes.

Coblence, Mannheim : villes de l'actuelle Allemagne.

Cocarde : insigne porté à la boutonnière ou au revers du chapeau. La cocarde révolutionnaire associe trois couleurs, le blanc (celle du roi), le bleu et le rouge (celles de Paris).

Comité de salut public : constitué de députés de la Convention, il est chargé d'organiser la Terreur sous la direction de Robespierre entre 1793 et 1794.

Députés : représentants élus lors d'élections organisées en vue de leur réunion dans une assemblée appelée « États Généraux ».
Échaudés : petits pains.
Émigrés : Français exilés pour fuir la Révolution. En avril 1792, l'Assemblée nationale vote la confiscation de leurs biens. L'année suivante, un décret prévoit l'exécution immédiate de tout émigré qui serait de retour en France.
Être suprême : nom donné à Dieu pendant la période de déchristianisation de la Révolution (1793-1794). Un culte lui est rendu à travers des fêtes civiques.
Fièvre tierce : mauvaise grippe.
Gazetiers : marchands ambulants vendant des gazettes, ancêtres des journaux réduits à une feuille.
Girondins : parti modéré représenté à la Convention par Brissot, Roland, Vergniaud et composé d'élus de la province, de Gironde notamment.
Grand appartement : soirée à Versailles où assistaient le roi et la reine en présence des courtisans.
Grande Peur : pendant l'été 1789, les paysans, craignant un complot aristocratique, prennent les armes, attaquent les maisons des seigneurs et détruisent les registres où est consigné ce que les paysans leur doivent.
Gros bourdon : grosse cloche des cathédrales battant seulement lors d'événéments importants.
Habits de présentation : habits portés par les femmes de la noblesse lors de leur présentation à la reine, à Versailles.

Livre : ancienne monnaie correspondant à 20 sols (sous).
Montagnards : parti siégeant à gauche à la Convention et sur les gradins les plus élevés (d'où la « Montagne »). Comptant dans leurs rangs Robespierre, Danton, Marat, ils sont des fervents républicains. Ils éliminent les Girondins en juin 1793.
Nœuds d'épée : lors des grandes cérémonies officielles, les nobles portent un habit particulier. Leur épée, attribut de la noblesse, est décorée d'un gros nœud blanc.
Ordres : dans le royaume de France, en 1789, ils sont au nombre de trois : clergé, noblesse et Tiers État. Les députés élus représentent chacun de ces ordres qui structurent la société.
Oublies : pâtisseries faites avec de la pâte très légère.
Pain d'alise : pain fabriqué avec des restes de pâtes ; pain ballé : à partir de grains mélangés à du son ; pain de Gonesse : de qualité supérieure.
Pamphlétaires : marchands ou rédacteurs de pamphlets, des articles de journaux au ton polémique.
Pied : unité de mesure équivalant à 32 cm.
Prêtre jureur : qui accepte de prêter serment à la Constitution, à la différence du prêtre réfractaire.
République : régime politique sans roi.
Saint Yves : saint patron de la Bretagne.
Vielle : instrument de musique à cordes.

portrait de Camille Desmoulins (1760-1794)
Cet avocat parisien exerce par ses discours et ses écrits une grande influence sur le mouvement révolutionnaire à ses débuts. Secrétaire de Danton puis député à la Convention, il est guillotiné en 1794.

prise de la Bastille
Le 14 juillet 1789, la foule parisienne prend d'assaut cette forteresse flanquée de huit tours et entourée de fossés car on pense qu'elle renferme des armes. Elle symbolise la victoire du peuple contre le pouvoir royal. En effet, le roi peut y emprisonner qui bon lui semble.

Des livres et des films

À lire

La Révolution française
par Dominique Joly, Fleurus
Marie-Antoinette, princesse autrichienne à Versailles
par Kathryn Lasky, Mon Histoire, Gallimard Jeunesse
Dictionnaire des rois et des reines de France
par Brigitte Copin et Dominique Joly, Casterman

À voir

La Révolution française (2 volets), de Robert Enrico, avec François Cluzet, Jean-François Balmer et Claudia Cardinale
Marie-Antoinette, de Sofia Coppola,
avec Kirsten Dunst et Jason Schwartzman
Les Adieux à la Reine, de Benoît Jacquot,
avec Léa Seydoux, Diane Kruger et Virginie Ledoyen
L'Anglaise et le Duc, d'Eric Rohmer,
avec Jean-Claude Dreyfus et Lucy Russell

Dominique Joly

L'auteur

Dominique Joly a toujours fait de l'Histoire son pain quotidien. Aujourd'hui, elle l'enseigne à l'Université, anime des ateliers d'écriture où sont produits de petits récits historiques et continue de publier des ouvrages pour la jeunesse : documentaires et romans historiques (à ce jour, elle en a signé soixante-dix).
Elle a découvert dans sa jeunesse la Révolution française grâce au *Chevalier de Maison-Rouge* d'Alexandre Dumas. Plus tard, elle a eu envie d'aborder cette période tourmentée et riche. La lecture de *La Modiste de la Reine* de Catherine Guennec et de *Rose Bertin, ministre des modes de Marie-Antoinette* de Michelle Sapori lui a donné envie de mettre en scène ce personnage fascinant. Ces ouvrages précis, vivants et bien documentés montrent comment cette femme énergique et ambitieuse réussit à traverser la Révolution française sans être inquiétée. Restait à imaginer et à faire vivre une cousette venue de Bretagne qui vit la tourmente révolutionnaire côté palais, côté atelier de couture et côté rue parisienne.

CRÉDITS PHOTOGRAPHIQUES

p. 139 : « Portrait de Camille Desmoulins (1760-1794) », miniature sur ivoire, François Dumont l'Aîné (1751-1831), musée du Louvre, Paris © photo RMN/G. Blot.

« Prise de la Bastille, le 14 juillet 1789, arrestation du Gouverneur M. Delaunay », huile sur toile, école française XVIIIe siècle, châteaux de Versailles et de Trianon, Versailles © photo RMN.

Mise en pages : Nord Compo
Loi n° 49-956 du 16 juillet 1949
sur les publications destinées à la jeunesse
N° d'édition : 320131
Dépôt légal : août 2017
ISBN : 978-2-07-508700-1
Imprimé en Espagne par Novoprint